as
parceiras

Lya Luft
as parceiras

30ª edição

EDITORA RECORD
RIO DE JANEIRO • SÃO PAULO
2015

Cip-Brasil. Catalogação na fonte
Sindicato Nacional dos Editores de Livros, RJ.

L975p
30ª ed.
    Luft, Lya, 1938-
        As parceiras / Lya Luft. – 30ª ed. – Rio de Janeiro: Record, 2015.

        ISBN 978-85-01-06611-4

        1. Romance brasileiro. I. Título.

03-0224
                                CDD 869.93
                                CDU 821.134.3(81)-3

Copyright © 1980 by Lya Luft

Capa: Leonardo Iaccarino

Texto revisado segundo o novo Acordo Ortográfico da Língua Portuguesa

Todos os direitos desta edição reservados pela
EDITORA RECORD LTDA.
Rua Argentina 171 – 20921-380 Rio de Janeiro, RJ – Tel.: 2585-2000

Impresso no Brasil

Seja um leitor preferencial Record.
Cadastre-se e receba informações sobre nossos
lançamentos e nossas promoções.

Atendimento e venda direta ao leitor:
mdireto@record.com.br ou (21) 2585-2002.

Para Rachel Jardim

Sumário

Domingo 9

Segunda-feira 35

Terça-feira 49

Quarta-feira 71

Quinta-feira 91

Sexta-feira 107

Sábado 123

Domingo

Catarina tinha catorze anos quando casou, penso, enquanto seguro a balaustrada, me debruço para aspirar melhor a maresia, e deparo com a mulher postada no morro à minha direita. Bem na pedra saliente, onde a rocha cai na vertical até às águas inquietas.

Catorze, recém-feitos. Jogaram com ela um jogo sujo. Não podia mesmo aguentar.

— Podia, Bernardo? — pergunto em voz alta. Ele faz cara de que não podia.

Nazaré, a caseira, conta que essa mulher apareceu aqui ultimamente, sobe o morro e fica um tempão olhando a paisagem. Sempre no mesmo lugar. Uma apaixonada pelo mar, como eu. Como minha amiguinha Adélia, que se colocava naquela pedra também, para me assustar. Mas isso foi quando éramos crianças, e as peças do jogo não tinham começado a sumir ou a confundir-se no tabuleiro.

Enquanto Nazaré termina de guardar minhas coisas deito na rede na varanda e me embalo apoiando o pé nu na cabeçona do cachorro. Ele parece divertir-se com isso.

A mulher do morro me fez pensar em minha avó. Catarina

costumava ficar horas a fio atrás do vidro da porta que abria para a sacada. Dizem que do jardim se via seu rosto branco e ausente. Tive com ela um único encontro, quando eu era pequena. Lembro o aperto da mão de mamãe quando subíamos a escada em caracol, lembro o contraste entre a sombra e a claridade do quarto, onde tudo era branco: paredes, cortinas, tapete, móveis, até as rendas do vestido comprido da sua moradora.

Um quarto de menina, aquele. Limpo.

Chamavam de sótão a esse quarto do terceiro piso do casarão, com um banheiro e a sacada. Combinava bem o nome: uma palavra triste e sozinha. A porta rangeu como estas velhas madeiras agora, mas em vez de maresia pairava ali um cheiro forte de alfazema.

A mulher de branco, moradora do sótão, voltou para nós um rosto interrogativo. Parecia alegre por nos ver mas também assustada como se não soubesse o que lhe trazíamos: o bem, o mal.

Olhou para mim e perguntou insegura:

— É Sibila?

— Não — respondeu minha mãe —, é Anelise. Minha filha mais nova. Sua neta.

Como podiam me confundir com Bila, a Bilinha? Senti um pouco de medo mas a mulher levantou-se, era alta, muito alta. Me pegou no colo, me abraçou. Alfazema: mais tarde aprendi a palavra.

— Bonitinha, tão bonitinha. A minha filha.

E apertou com tanta força que me debati. Mamãe me levou embora às pressas, bem que eu teria gostado de ficar olhando o quarto e aquela mulher triste e esquisita. Depois que a porta se fechou no alto da escada, nunca mais a vi. Nem fui ao seu velório: não era coisa para criança.

Lembro de minha avó: roupas brancas, alfazema, solidão. E medo.

Hoje, sei todos os detalhes que há para saber sobre sua vida, mas a verdade perdeu-se entre aquelas paredes.

Quando casou Catarina von Sassen mal começara a menstruar. E, se já não acreditava piamente que o sinal no dorso de sua mão vinha duma bicada da cegonha, também não tinha certeza de como os bebês entravam e saíam da barriga das mães. Casamento era para ela a noção difusa de abraços e beijos demorados, e alguma coisa mais, assustadora. Algo de que nunca falavam direito. Como as doenças e a morte.

Na véspera das bodas minha bisavó, uma alemã decidida que viera ao Brasil há longos anos para visitar parentes e acabara casando, enviuvando e criando aqui, sozinha, a única filha, chamou o futuro genro, um trintão experiente, e lhe expôs o problema. Não se preocupasse, ele tranquilizou. Na hora certa ensinaria à menina o que fosse preciso.

Casando, Catarina deixou na cama de solteira três bonecas de rosto de porcelana. A mãe voltou para a Alemanha, aliviada por estar a filha em boas mãos, destino assegurado.

O destino foi zeloso: caçou-a pelos quartos do casarão, seguiu-a pelos corredores, ameaçou arrombar os banheiros chaveados como arrombava dia e noite o corpo imaturo. Mais tarde, entenderam que os arroubos de meu avô eram doentios: nada aplacava suas virilhas em fogo.

E Catarina sucumbiu a um fundo terror do sexo e da vida. Não os medrosos pruridos de muitas noivinhas do seu tempo, mas uma agoniada compulsão de fugir. Como as poucas e tímidas queixas nas cartas à mãe distante não tivessem resultado, ela se refugiou onde pôde: um mundo branco e limpo

as parceiras | 13

que inventava e onde se perdia cada vez mais. Assumiu o ar distraído que caracterizaria outras mulheres da família depois dela, e tantas vezes reconheci no rosto de minha mãe.

A criança loura era agora uma adulta precoce: cheia de manias. Uma delas era o sótão. Ali ela construiu uma dimensão em que só cabiam os seus interlocutores invisíveis.

Subia até lá sempre que podia, esquivava-se do marido, dos parentes, das visitas. Começou a desfiar ali em cima uma espécie de ladainha que com os anos impregnou todo o casarão, e que eu jurava ouvir ainda quando morei lá. Mandou mobiliar o sótão como um quarto de menina. Tudo branco. Faltavam só as bonecas, para que a inocência fosse recomposta.

Conseguiu sobreviver até os quarenta e seis anos. O marido desistiu de lhe ensinar as artes dos bordéis, preferindo teúdas e manteúdas àquela adolescente que já lhe provocava mais medo do que desejo. Mudou-se para uma de suas fazendas, no casarão aparecia apenas como visitante temido. Minha avó ficou meio esquecida com as empregadas e uma governanta. Quando o marido irrompia naquela falsa tranquilidade, não deixava de procurar a mulher. Dava um jeito de abrirem o sótão, e entre gritos e escândalo emprenhava Catarina outra vez.

Assim ela teve alguns abortos, e nos intervalos três filhas: Beatriz, que chamávamos Beata. Dora, a pintora. Norma, a mais nova, minha mãe. Fisicamente, a que se parecia com Catarina. Mais de vinte anos depois viria Sibila, concebida e parida no sótão. Melhor não tivesse vindo: Bila, Bilinha, retardada e anã.

É isso que conheço da história das minhas raízes. Uma família de mulheres.

— Uma família de doidas — comentava tia Dora.

•

Não sei o que tanto a veranista procura no morro, mas vale a pena subir: à frente, o mar pardo e sinistro. Atrás, as dunas tumulares.

Nazaré chama para o almoço, e quando espio de novo a mulher já desceu.

Vim ao Chalé resolver minha vida, se é que ainda há o que resolver. Deixei uma carta para Tiago, tentei avisar tia Dora mas ela andava fora por uns dias, para uma exposição de seus quadros. Então ajeitei o cachorro no banco de trás do carro, e logo estava aqui. Cidadezinha de veraneio, o lado pobre onde moram os pescadores e o lado dos veranistas junto ao mar. Os pescadores chamam nossa casa de "casa dos fantasmas". Dizem que aqui se veem coisas, se ouvem vozes. Mas para nós, da família, sempre foi "o Chalé". Uma construção grande e antiga, feia, de madeira pintada em cor ocre. Parece um caranguejo saindo da praia, tentando escalar o morro que surge inesperado das ondas.

Não há fantasmas: as vozes são o vento nas touceiras de capim ou o roçar das mirradas árvores da sebe, cujas grandes flores vermelhas se renovam cada dia. Nós as chamávamos de "vai-à-merda", para desgosto de tia Beata. Tia Beata, a rezadeira.

Passei aqui muitos dias deliciosos quando Adélia e meus pais eram vivos. Hoje só eu me interesso em conservar o Chalé, que a caseira abre de vez em quando para espantar o cheiro de mofo. Aparentemente nada mudou, nem a cor da madeira. Só que agora as paredes rangem mais. É como se a vida fosse um jogo em que as peças mudam mas as jogadoras são as mesmas. Incógnitas.

Era aqui que em outros tempos os vivos vinham se refazer da agitação da cidade, pensando que a cor parda das espumas era iodo. "Bom para a saúde." Adélia e eu procurávamos conchas e estrelas-do-mar na sombra dos rochedos, ou subíamos o morro apanhando no caminho aqueles tímidos lírios rosados, que nunca vi em outro lugar, e os levávamos para os "nossos" mortos.

O cemitério no topo do morro era velhíssimo, duas dúzias de sepulturas arruinadas, com inscrições em alemão e português. Ninguém mais se interessava por aqueles mortos seculares, então Adélia e eu os adotamos. Abríamos o portãozinho de ferro ou pulávamos o muro de tijolo meio desabado. Catávamos inço, botávamos flores. Eu traduzia as inscrições para Adélia, ela inventava histórias para cada um daqueles nomes.

Hoje, além da caseira que dorme aqui quando estou, só tenho no Chalé o meu são-bernardo, a quem numa total falta de imaginação batizei Bernardo. Há os mortos no morro e outros no meu cemitério particular da memória: como num sótão, me fazem companhia sem serem vistos. Murmuram, chamam. Cada vez me atemorizam menos: já sou quase um deles.

Preciso perguntar a Nazaré se ainda crescem daqueles lírios na encosta. Hoje não tive vontade de subir: passei o tempo na rede, na varanda que rodeia a casa de fora a fora. Quem olhar da rua há de pensar: felizarda, na rede sem nada para fazer, e ainda nem é tempo de veraneio.

Mas eu tenho muito que fazer: descobrir como tudo começou, como acabou. Por que acabou. Se dou com a ponta errada do fio, se descubro o lance perverso da jogada, a peça de azar, quem sabe consigo sobreviver. Tenho tempo. Escrevi a

Tiago que ficaria uma semana aqui. "Volto domingo", coloquei num PS sem sentido: como se esperasse que ele viria me procurar.

Tenho bastante tempo para repassar o filme todo mais uma vez.

Éramos uma família de mulheres doidas, segundo tia Dora. Pelo menos, uma família de mulheres, na qual os poucos homens entraram pelo casamento. E meu primo Otávio, pela adoção.

— Só sai mulher do meu saco — disse meu avô numa das raras vezes em que o vi. Não entendi bem, mas minha irmã Vânia, que já era mocinha, disse depois que ele era um velho porco. Ninguém parecia gostar dele na família: fazia barulho ao comer, reclamava de tudo, andava sempre com a barba por fazer. Resmungava que naquela casa havia um "bando de mulheres inúteis".

Um bando de mulheres: diziam que até os abortos de Catarina tinham sido meninas.

•

Com o tempo, minha avó foi perdendo a lucidez a intervalos cada vez menores. Por fim, baixou a penumbra definitiva. Os médicos acharam que sua mania de morar no sótão não era de todo má: livrava-a da responsabilidade por uma casa que não podia administrar, e das três filhas que não tinha condições de criar. Ficou ela com seus duendes. No esconderijo branco, atendida por alguma empregada, pela governanta e pela filha Beatriz, Catarina von Sassen murmurava, falando com gente que só existia para ela. Ou espreitava o jardim, pela porta de vidro.

Instalaram na casa uma governanta rígida cujo nome ninguém usava: era apenas a Fräulein. Quando fui morar com tia Beata, ainda andava por lá, velha e ranzinza. Mas foi ela quem criou minha mãe e minhas tias, e ajudou a cuidar de Bila. Manteve a falsa ordem de uma casa arruinada. Mais ou menos como Adélia e eu fingíamos a beleza do cemitério esboroado. Deu às meninas uma ilusão de família, apesar do pai ausente e da mãe enferma.

As três filhas de Catarina casariam cedo. Beatriz, por três semanas apenas. Tia Dora, mais de uma vez. Minha mãe, com um homem que a protegeria da fragilidade numa existência quase tão irreal quanto aquela do sótão.

Todos éramos pouco reais, à exceção de tia Dora, que se afastou um bocado da família. Levava a vida como bem entendia, não dava satisfação a ninguém, não ligava para os suspiros e reprimendas de tia Beata, que desaprovava sua vida "escandalosa". Minha tia estava livre do flagelo da opinião dos outros, que tanto pesava sobre nós. Que diriam da nossa avó louca, da tia anã, do avô "um velho porco"?

Eu achava que esses problemas só a mim diziam respeito, só eu sofria tanto. Com o tempo, aprendi que todas trazíamos a sua marca.

•

Nazaré tem um pouco de vitalidade dessa minha tia pintora, e um pouco da alegria que minha irmã Vânia aparentou por muitos anos. Mulher de pescador, uma porção de filhos. Durante o veraneio, o marido finge de garçom num hotelzinho da cidade. Um pescador-garçom de fala mansa entre pescadores que falam gritando por causa do barulho das ondas.

Tia Dora brincava dizendo que ele pedia "com licença, madame", cada vez que queria dormir com a mulher. De vez em quando ele aparece aqui, humilde e tranquilo, com um menino magricela, que adorou Bernardo.

O meu cachorrão de bochechas caídas: isso também é algo sólido. Não preciso mais realidades do que isso.

Depois do almoço, tento dormir a sesta no quarto que era meu e de Adélia, pois Vânia preferia a cidade para namorar e sair com as amigas, não vinha à praia. E eu não sentia falta dela, tinha Adélia, minha amiga.

Mesmo tantos anos depois da sua morte, não consigo vir ao Chalé sem escutar sua voz chamando por mim, dando risada alto, gritando nos rochedos na praia, para fazer eco. Ela foi o primeiro amor da minha vida, numa idade em que as almas interessam muito mais do que os corpos.

Tínhamos a mesma idade, estávamos na mesma escola, e seus pais a deixavam vir conosco à praia, porque todo mundo sabia que eu era muito só, apenas com uma irmã mais velha, que quase não ligava para mim. Então, Adélia foi minha irmã, me dava a ternura que os adultos esqueciam de dar, e pela qual eu ansiava tão intensamente.

Tinha cabelos pretos e lisos, mãozinha rechonchuda, quente na minha, olhos escuros, riso fácil e uma alegria de viver que me espantava. Para ela, fantasmas eram coisa natural. Seus pais espíritas a habituaram ao trato com as almas penadas, mas Adélia não ficara mórbida. Ao contrário, era muito mais alegre do que eu, ria dos meus temores, gostava daquele nosso cemitério, falava na morte e nas almas que se amavam.

— Quando a gente se quer muito bem, muito mesmo — dizia gravemente —, é porque as almas se conhecem de outras vidas, se querem bem se procuram sempre. Casados, amigos, irmãos, não importa.

Eu ficava fascinada, segurava sua mão com mais força. Não gostava quando Adélia falava na morte, era como se a velha bruxa estivesse à espreita para levar embora aquela que eu amava. Abraçava-a, beijava seu rosto redondo, ajeitava o cabelo de índia. Pedia que não falasse assim. Que se cuidasse bem, perdesse a mania de se plantar naquele rochedo avançado, me dava tanto medo. Ela se punha ali, desafiadora.

— Sou imortal! — dizia abrindo os braços.

Eu pedia:

— Adélia, volta aqui, já estou suando frio nas mãos!

Ela tinha pena, ria, voltava, me abraçava. Sentávamos na sombra estreita do muro meio caído que rodeava o cemitério. Acho que nos amávamos de verdade, com todo o ardor das criaturas inocentes.

Até hoje sinto agudamente a sua falta, uma claridade momentânea que se apagou na minha vida, roubando o que poderia me ligar a todo mundo. O amor eterno porque as almas são eternas.

Adélia era mais esperta do que eu, menos assustada. Tudo aquilo me impressionava muito, a vitalidade de minha amiga e sua convivência com fantasmagorias. Ficava com a pele arrepiada. Acreditava com força nas almas eternas, não queria perder Adélia, nunca.

Mas agora ela não está comigo. A não ser quando viro um pouco a cabeça e o ouvido me engana. Parece que no vozerio do mar se ergue uma voz humana:

— Anelise! Anelise! Vem cá, Anelise!

Pura ilusão.

No verão em que fiz doze anos estávamos no Chalé, mas naquela tarde não pude sair de casa: dor de garganta, febre. Tive de dormir a sesta para ver se a febre baixava.

Acordei tarde, estava quase escuro. Vozes, correrias. Chamei papai, mamãe, a empregada. Adélia. Meio tonta cheguei até a sala mas papai logo me levou de volta. Fora um acidente com um pescador, conhecido dos empregados. Nada de maior.

— Durma de novo, filha.

Mas não consegui dormir, nem quando a confusão acalmou. Papai teve de me dar aquelas gotas amargas que sempre trazia consigo. Muitas vezes eu fingia um pouco de doente para ter dessas atenções especiais. Ele se aproximava mais de mim como médico do que como pai. Perguntei por Adélia, depois de engolir o amargor. Estava dormindo em outro quarto, para não pegar dor de garganta.

Só no dia seguinte, segurando minhas mãos com força, meu pai contou que Adélia caíra daquele rochedo saliente onde costumava se postar me assustando. Estava muito ferida, tinham levado para casa, os pais cuidariam dela, o hospital era muito melhor.

Logo depois eu soube pelas empregadas que ela despencara do rochedo para as espumas pardacentas sem dar um grito. Tragada pelas ondas que a lamberam das pedras pretas de marisco, e bateram seu corpo várias vezes na rocha. Estava morta: agora minha amiguinha era uma alma eterna.

— Ficou num estado miserável. Pobrezinha.

Nunca tive outra amiga como Adélia. Sua morte entrou em mim num ferimento que jamais sarava, pois logo outra pessoa morria e eu a enterrava naquele mesmo lugar. Até Catarina emergiu da minha memória e aninhou-se ali, sem-

as parceiras | 21

pre murmurando. Bila postou-se num canto fazendo caretas e me dando remorso. Um buraco enorme, aquele.

Será que, ao cair, Adélia não chamou nem o meu nome?

•

— Vamos passear ao luar, Bernardo.

O cão segue obediente ao meu lado. Em outros tempos, outras noites de lua na praia, Adélia vinha comigo. Meus pais também, mas ela me parecia mais real e íntima do que a minha família. A lua brotava feito um navio iluminado, e até mamãe, que raramente descia à praia, ria deliciada, abraçando papai.

Caminho nesta solidão prateada e penso em minha mãe que conheci tão pouco. Quando ela casou todos acharam que lhe convinha muito aquele homem já maduro, bondoso. Ainda por cima um médico, que poderia entender e tratar melhor certas singularidades de Norma. Pois ela era um pouco infantil, desinteressada pelas coisas práticas, aparentemente incapaz de assumir uma família sua. Pareceu feliz com meu pai, viviam bastante isolados, fizeram uma só viagem grande. Não voltaram dela. O consultório de papai não era longe de casa, e enquanto ele não chegasse minha mãe não parecia ter sossego. Depois do jantar tocava piano para ele na sala: era para ele que tocava, cantava, vivia. Doces cantigas alemãs, numa voz clara, eu entendia as letras graças às chatíssimas aulas de alemão da Fräulein. Uma delas conheço ainda: dois filhos de reis se amavam, mas um grande rio os separava. Ela acendeu três velinhas para que o amado nadasse ao seu encontro, uma bruxa malvada soprou com força. O príncipe afogou-se nas trevas e um pescador encontrou o corpo, levando-o até a princesa. Ela beijou a boca pálida do amado, e caiu morta. Coração em pedaços.

"Sie küsste den bleichen Mund", cantava a voz infantil de minha mãe, na sala enevoada. Eu me transia de emoção, a donzela debruçada sobre a palidez do morto. O beijo na boca. As almas eternas: mas e quando corria um rio no meio? Adélia nunca soube explicar direito.

Não era má a vida em nossa casa. Era esgarçada, para mim, como se não fôssemos uma família de verdade. Meus pais eram bondosos e tranquilos mas distraídos. Talvez sentissem a brevidade do seu prazo, a felicidade precária precisava ser tão protegida quanto minha mãe, que sobrevivia apenas assim, pairando pela casa, quase ausente, acompanhando um pouco à distância a vida das filhas e os acontecimentos domésticos. Nunca podíamos correr, gritar, discutir na frente dela. Tudo a perturbava, começava a chorar, recolhia-se ao quarto, me deixava louca de remorsos. Acostumei-me a controlar o desejo de rir alto, de cantar aos gritos, de correr pelo pátio. Inventava uma vida de mentira para meus pais verem. Mas levava por dentro uma existência só minha, um universo de fantasia: criava personagens, companhias, gostava particularmente dos anõezinhos engraçados e espertos que rolavam comigo na grama, faziam toda a sorte de travessuras, habitavam uma casinha diminuta de João e Maria visitando a bruxa, com barômetro na cumeeira, pendurada no meu quarto.

Não éramos uma família como as outras. Minha irmã, bem mais velha do que eu, achava graça quando eu perguntava se não éramos meio esquisitos. Dava risada, fazia ar superior, me chamava de boba. Eu era a "boboca". Vânia tinha suas amigas, umas mocinhas quietas e sérias com quem se fechava no quarto falando baixo, dando risadinhas, comentando coisas de que nunca pude participar. Nem dormíamos no mesmo quarto como outras irmãs. Eu ficava sozinha com meus duendes e medos.

Um desses medos foi por longo tempo o de enlouquecer. Sabia da história de minha avó Catarina, a do sótão, conhecia fragmentos da loucura, das falas, das cartas, da morte misteriosa. Quem me contava era Vânia, mas desinteressada como se falasse de uma pessoa desconhecida. As empregadas também falavam muito nisso, e como minha mãe não pudesse preocupar-se com quase nada, os problemas domésticos eram resolvidos por elas, que me vestiam, me banhavam, me davam comida, me contavam histórias de almas penadas e mexericavam sobre nossa família.

Então comecei a ter esse medo: estaria ficando doida? Loucura podia ser herdada? Uma avó louca, uma tia anã. Andava nas lajes do pátio e dizia a mim mesma que talvez já tivesse enlouquecido e não soubesse disso; os doidos não sabem que são doidos. Contava as lajes, pisava nelas o pé descalço, imaginava: são lajes, estão quentes, estou sabendo direitinho que são lajes, então quem sabe não estou louca ainda?

Ou, enquanto era pequena, receava não crescer. Ficaria da altura de Bila, a anã. Quando a encontrava no casarão de tia Beata, media-me com Bila disfarçadamente, à distância. Logo fiquei mais alta e esqueci esse medo. Mas o de endoidar me perseguiu por muitos anos. Acho que ainda hoje me acena de um canto qualquer feito um ectoplasma. Tênue, mas assustador, às vezes parecendo uma realidade.

Nossa família era isso: os pais, felizes e alheados, pouco falavam conosco, e nos levavam para a praia nos verões. Papai indagava da escola, mas não éramos nós sua verdadeira preocupação: era mamãe. Pensei que se amavam demais, o resto do mundo não interessava: e me senti mais só ainda.

Adélia me salvava: nos metíamos no meu quarto ou em cima de alguma árvore do pátio, e inventávamos histórias, falávamos dos mortos e dos vivos, do nosso cemitério da praia, da escola, do meu medo de enlouquecer. Adélia não tinha medos: era só alegria, desejo de viver, de amar.

Quando morreu, assumi a solidão como castigo por algo que eu devia ter feito mas não lembrava.

Havia também as minhas tias: a pintora nos visitava pouco e não nos levava nunca ao seu ateliê. Eu sabia que tivera vários maridos, que viajava muito, que adotara aquele meu único primo, Otávio, um menino esquivo mas simpático. Tia Dora era bonita, parecia alegre também, de uma vitalidade que, nos raros encontros, me impressionava: era assim que eu queria ser. Assim desejava que fosse minha mãe: interessada, viva, falastrona, exuberante.

Em compensação, tia Beata vinha seguidamente à nossa casa. Estava sempre na igreja. Tinha seguidamente padres convidados para o almoço, o jantar. Novenas, promessas. Dedicação absoluta a Bila e ao casarão. Tia Beata interessava-se por nós, que não gostávamos dela. Vinha, queria saber da nossa roupa, do nosso estudo, era solícita e boa, mas sem carinho. Devíamos ser-lhe uma obrigação a mais, ela procurava compensar nossa educação negligenciada, o domínio das empregadas, a fragilidade de mamãe, a complacência de meu pai.

Desconfiei sempre de que tia Beata não se importava de não ser amada pelas pessoas: o contato físico, mesmo conosco, a repugnava. Ou assustava? O rosto seco, severo, o beijo rápido com pelos espetando me deixavam encolhida e hostil.

Não éramos uma família de verdade.

Mas embora minha mãe fosse assim alheada com seus livros e músicas, eu a amava muito, e sabia que ela me amava também, na sua maneira etérea e infantil. Era uma mulher alta, clara, bonita, parecendo com minha avó. Apenas esquecida: sempre perdendo suas coisas, pedia que ajudássemos a encontrar o livro, a partitura, o lenço. Depois sorria um sorriso inocente, parecia um pouco admirada de nos ver ao seu redor, de sentir-se amada e necessária. Uma menina crescida com quem se tinha vontade de brincar de comidinha e casa de bonecas.

Uma espécie de fada linda e boa, mas de um mundo que não era o meu. Lembro que algumas vezes tentei falar com ela sobre a nossa visita ao sótão, ou sobre minha avó, mas ela parecia ter esquecido. Dava uma evasiva, dizia apenas que Catarina fora uma pessoa "diferente", e que tinha sofrido muito.

— Ela era mesmo louca? — indaguei um dia, e mamãe me olhou com um ar tão chocado, lágrimas nos olhos, que nunca mais falei nisso, evitava mesmo comentar qualquer coisa de minha avó na sua presença. O mistério de Catarina entranhado em mim, cada vez mais fundo.

Quando íamos ao casarão visitar tia Beata ou ver como Bila estava se portando, eu pedia para subir ao sótão, mas era tia Bea quem respondia:

— É sujo e feio lá em cima. Desarrumado. Não tem nada para uma menina ver.

E eu voltava para casa quase contente: sabe Deus o que dormia ali na penumbra, debaixo da poeira. Melhor nem saber.

Hoje sei o quanto minha mãe era frágil, dependendo, para sobreviver, de todo o cuidado que meu pai pudesse lhe dar.

Por isso, mais que meu pai, ele foi sempre o marido de Norma.

Vejo mamãe sentada perto da janela da sala como Catarina se postara junto da porta de vidro da sacada. Livro aberto sem ler. Eu adivinhava que minha mãe não estava lendo, que nem distinguia ao certo realidade e ficção, nem se interessava pelos enredos, misturando tudo. Às vezes quando ela me surprendia olhando-a assim, sorria como se fôssemos duas meninas cúmplices de alguma travessura. Um grande segredo — mas eu nunca soube que segredo era aquele.

Talvez isso também tenha sido melhor, afinal: a morte a derrubar do tabuleiro subitamente duas peças juntas, uma não podia viver sem a outra. Poeira de gente no mar. A raiz enferma não teve tempo de brotar com mais violência.

Fiquei órfã de uma hora para outra. Tinha catorze anos: a idade de minha avó quando casara. Não era tão ingênua quanto ela, mas solitária. Perdera minha amiguinha Adélia dois anos antes, nunca me consolei dessa perda, ainda acordava de madrugada com uma sensação tão dolorida de ausência que meu coração parecia não suportar. Mas suportava.

Quando a notícia do acidente de avião chegou, apenas nos contaram que houvera uma pane, aterrissagem forçada. Tia Beata estava tomando conta de nós, ia e vinha do casarão onde uma Fräulein velhíssima tentava controlar Bila. Vânia estava noiva e não aceitava imposições, ela e tia Bea discutiam terrivelmente, eu estava cansada e louca para que meus pais voltassem e retomassem a nossa frágil mas doce tranquilidade. E então o avião sofrera aquele acidente. Logo tiveram de nos contar a verdade: o aparelho explodira por cima do mar. Sobre as águas pardas. Não sobrara nem um corpo, um braço, um anel ou brinco de mamãe. Nem os óculos de papai. Tudo poeira tênue, nas mesmas águas que agora molham meus pés. Grãozinhos de olhos. As bocas pálidas que ninguém iria mais beijar.

A ferida da morte cresceu desmesuradamente. Tudo se precipitara feito pó nas águas, como Adélia caindo de cima do rochedo.

Vânia e eu tivemos de viver com tia Beata no casarão. O noivado de Vânia foi abreviado, ela se recusava a ficar muito tempo junto de tia Beata, o noivo parecia não simpatizar com nossa família, a tia implicante.

Estávamos atordoadas demais para discutir ou ponderar. A presença dos nossos pais fora discreta e distraída mas nos mantinha unidas. Agora eu me sentia flutuando numa água escura, sem amigos e sem afeto. Vânia ao menos tinha o noivo: eu não tinha ninguém.

Invejei muito a sorte de minha irmã: não teria de ficar sempre com a tia carola e a anã remelenta. Mas estava tão desgraçada com minha orfandade, que no começo me foi indiferente onde morava, o que comia ou vestia. De repente amava muito mais do que suspeitara àqueles pais bonitos, felizes, tranquilos e distantes. Sentia uma pena imensa pelo convívio que não tinha existido.

Quando dei por mim estava instalada no casarão há vários meses, debaixo do sótão onde minha avó curtira sua mansa loucura e engravidara de Bila numa hora de horror, todo o horror que se cristalizara na figura torta da anã.

Vânia casada, iniciei anos amargos sob o comando de tia Beata na casa habitada por velhas e fantasmas. Sentia crescer revolta, o desejo de liberdade, de desafiar os padrões estreitos e frios de minha tia. A Beata. Voz alquebrada e pobre.

Enquanto eu me debatia sob uma superfície de fingido

alheamento, as parceiras ocultas, se divertiam comigo. A vida, uma vida boa, clara, alegre, tinha de existir em algum lugar: eu a experimentara com Adélia, com alguma amiga na escola, vagamente com meus pais em raros momentos. Sabia que existia, fervia dentro de mim às vezes como reflexo de algo afastado mas ainda assim meu. Em algum lugar. Certamente não naquela casa, em que a única voz jovem era a do sótão.

•

Em vez de me cansar o passeio noturno na praia me deixou inquieta. Da praia diviso alguém no morro, talvez a veranista. Deve ser uma beleza a vasta planura prateada vista de lá do alto.

— Amanhã vamos subir de noite, Bernardo. Pode ser que a gente encontre aquela excêntrica.

Quem gostava de chamar todo mundo assim era tia Beata. Todos os que não cabiam nos seus padrões, e isso era uma porção de gente.

Um mundo triste o da minha tia, que crescera sob o império da Fräulein, a mãe louca no sótão da casa enorme, as duas irmãs mais novas tendo que ser protegidas, o pai raro e grosseiro. Magra e taciturna mesmo nas poucas fotos de menina. Casara e enviuvara em pouco tempo, voltara ao casarão, a mãe enfurnada lá em cima. Começou a cuidar dela, depois de Bila.

A trégua fora breve. E amarga.

Roupa severa, cabelo curto escovado para trás, Beatriz cuidava do seu triste ofício: uma louca, uma anã. Era religiosa, ia à missa mesmo em dia de semana, não perdia novena. Por muito tempo quis incutir alguma disciplina ou crença em

Vânia e em mim, mas falhou. Achávamos aquela sua religião triste e sem beleza.

Vânia lhe tinha horror, chamava-a velha besta, carola besta, e discutiam o tempo todo quando tia Beata vinha nos visitar. Meus pais só intervinham quando minha irmã ficava malcriada demais. Nosso padrão era outro, na verdade não tínhamos nenhum. As coisas só aconteciam ao acaso, nosso único dever real era não perturbarmos mamãe. Tia Bea suspirava, mais tarde voltaria à carga.

— Hoje garanto que a viúva-virgem vem outra vez — reclamou Vânia; quarta-feira era dia certo de visita.

— Que é viúva-virgem? — indaguei uma vez.

— Que não dormiu com o marido, sua boboca.

Então não tinham deitado na mesma cama? Eu não perguntava mais porque sabia que Vânia ia rir de mim. Depois Adélia me explicou melhor essa história de ser virgem, ela sabia sempre mais do que eu, tinha mãe e irmãos que conversavam com ela. Quando tentei falar com minha mãe também ela fez um ar tão ausente que não tive mais coragem. Quem resolvia minhas dúvidas era a sabedoria precária de Adélia e a solicitude das criadas na cozinha.

Quando cresci e conheci melhor a vida de tia Beata, não senti amor, mas pena. Mais pena ainda porque não era capaz de lhe dedicar nenhum afeto profundo. Apenas aquela solidariedade familiar: éramos um bando de mulheres malsinadas, mas só mais tarde eu entenderia isso também.

Acho que ela nem queria ser amada. Assim era mais confortável, sem perigo de envolvimento que acabasse de novo em morte e dor. Era isso que todo mundo procurava, não se envolver. Salvação pelo egoísmo. Tia Bea dava até um abraço pontudo, cotovelos magros apoiando no peito da gente, para não encostar. Nada de contatos.

Fora casada apenas três semanas. Logo o marido se suicidara, diziam que fora por não poder cumprir seus deveres conjugais. Não saciara os magros ardores de tia Beata. Faltava ao marido o que sobrara ao meu avô. Isso fora há muitos anos, mas ainda se murmurava a respeito entre amigos e empregadas, num misto de piedade e ironia. Fora um tiro na boca, a tampa da cabeça saltara como tampinha de laranja quando se corta. Sangue e miolos.

Minha tia, já tão religiosa, certamente se julgou predestinada à virgindade. Passos rápidos, xalinho no ombro, cheiro de leite de rosas, santos e rezas, Bíblia na cabeceira, tantas boas intenções. Retidão, nunca vi tanta retidão. Dentes grandes, amarelos, que quase não riam. Vida difícil, alma amargurada. Todo mundo tão precário ao seu redor: loucura, suicídio, aleijão.

Quando meus pais morreram essa tia tomou conta de mim. Depois que Vânia escapuliu para o casamento apressado, ela tentou dirigir minha vida conforme o seu jeito mas não deu certo. Eu me evadia entre os seus dedos, odiava aquela vigilância, achava falsas as suas crenças, e logo me rebelei. Depois de alguns anos ela me passou para tia Dora. Julgou sua missão cumprida para com aquela família complicada. Foi morar num quarto de um convento a quem doara parte do seu dinheiro, e que há muitos anos costumava visitar para consolar-se com as freiras suas amigas. Viveu ali o resto dos dias, freira sem votos. Quando morreu, santa e seca, as irmãs comentavam umas com as outras nos corredores:

— Uma santinha. E com aquela família tão esquisita.

"Caminhos de Deus". As parceiras riam, dentes amarelos.

Era duro, sim. Bila trotando por ali, em vez de alfazema, urina velha no sótão, sempre aquele sótão por cima da solidão da gente.

E a tampa do marido tinha saltado daquele jeito, isso também não dava para esquecer. Só com muita reza, muito santo, muito rancor disfarçado. Não tive compaixão por tia Bea enquanto ela era viva. Bem que ela queria me ajudar, quem sabe tinha medo de que em mim também brotasse, repentino e traiçoeiro, algum galho de loucura? E foi essa tia que mais me deixou só. Especialmente quando eu tinha medo. O medo que povoara minha infância tornou-se naqueles anos do casarão um pavor profundo. E rebeldia também, de medo eu me revoltava, não queria aquela vida, nem aquelas ideias, nem aquela religião. Tudo frio, escuro. Muito castigo.

Eu era pior que Vânia, pois odiava escondido. O bem e o mal. O bem era a gente não faltar à missa nem com chuva. O mal era dar liberdades ao namorado como tia Beata imaginava que Vânia fazia. Usar decote grande, ou ser como dona Rita.

Não esqueci o dia em que ela veio procurar papai em casa pedindo uma receita. Telefonou avisando, todos pareciam agitados:

— A dona Rita vem ver o doutor — comentavam.

Perguntei quem era, e Vânia respondeu sem maior interesse:

— A dona do cabaré mais chique da zona.

— Cabaré?

— Casa de mulher da vida, boboca.

Vânia estava impaciente, pensei depressa se já tinha ouvido falar em mulher da morte, para entender melhor essas da vida.

Minha irmã explodiu:

— Casa de putas, sua burra. Também não sabe o que é?

Fiz um "ah..." de quem sabe tudo, mas apenas adivinhava. A palavra má. As palavras inquietantes. Fui para a cozinha onde sempre havia alguém para colaborar. Tínhamos uma empregada nova, morena, bonita, que dizia palavrões e que tia Beata tentava sem resultado convencer mamãe a mandar embora, mau exemplo para as meninas.

— O que é mulher da vida?

— São gente ruim. Fazem horrores com os homens. Por dinheiro. Umas coitadas — suspirou a moça.

Fiquei mais confusa ainda: eram ruins ou umas coitadas? Minha sabedoria era parca para imaginar aqueles "horrores", ouvira dizer um dia que meu avô fazia "horrores" com Catarina. Por isso ela ficara doida.

Vânia e eu espiamos a chegada da mulher atrás de uma cortina. Encostou o carrão com motorista, dona Rita desceu, corpulenta, cabeleira solta, vestido decotado, piteira nos dedos. Sorriso simpático para a empregada que abriu a porta.

Mas tia Beata, que estava costurando para mamãe, logo descobriu nossa curiosidade, me deu um puxão de orelhas, e pôs Vânia de castigo o resto da tarde no quarto.

Então o mal era aquilo? Quando a mulher saiu minha tia mandou abrir as janelas do gabinete, para tirar o "cheiro de mundana". Ela nunca dizia puta.

Afinal o cansaço vence, e o peso das lembranças. Afundo no sono como aquela flor rosada desceu até o mar quando Adélia abriu os dedos e a soltou de cima do penhasco vertical. O lírio foi girando, girando, e finalmente as águas devoraram tudo.

Segunda-feira

— Bernardo, hoje vamos subir o morro. Levar flores para os mortos.

O cachorrão solta a voz grossa. Está inquieto, quer andar, ontem eu o prendi demais aqui em casa. Que interessam ao cachorro as minhas memórias emaranhadas? Fiel: mesmo se abro o portãozinho, ele dá uma volta e daqui a pouco está do meu lado, deita por perto, espiando. Quer me fazer companhia.

Subo devagar a estradinha íngreme. Tantas vezes andei aqui com Adélia. Fizeram adiante um caminho melhor, para subir de carro, mas hoje não quero máquina, basta essa do meu filmezinho interior particular.

Bernardo corre à frente, volta, segue comigo. Lá em cima um outro mundo. Como no sótão de uma casa, é uma nova dimensão. Mas tiraram o meu cemitério. Eu tinha conseguido três lírios cor-de-rosa, e nada do cemitério. Em seu lugar uma depressão quadrada de leivas de capim amarelas e irregulares. O capim não pegou bem ainda. De um lado, restos do velho muro.

Mas desde quando se tira um cemitério do lugar? Se roubam mortos? Se jogam no lixo os ossos limpos? E as almas eternas?

Ajoelho-me onde devia ser o túmulo de Adélia, os pais tinham conseguido permissão de enterrar a filha ali. As almas não têm idade, havia uma sepultura nova entre as corroídas.

— Não pode ser — digo em voz alta. O cachorro olha, sacode o rabo.

Indago de um homem que capina por perto.

— Tiraram sim senhora. Coisa de mês. A Higiene mandou levar um montão de ossos para o cemitério lá de baixo. — O homem dizia "sumintério", lugar onde sumiam as coisas que amei. Velhas bruxas roubam peças do tabuleiro.

— Mas e a sepultura mais nova, da menina que caiu daqui há pouco mais de vinte anos?

— Parece que levaram para a cidade dela. Os pais mandaram buscar. Deu tudo num caixotinho deste tamanho.

Imaginei o caixotinho. Qual era mesmo o osso maior? O fêmur. O de Adélia devia ser pequeno, ela tinha só doze anos e era baixinha. Então, amiga, levaram você pela segunda vez.

O homem falava na entonação cantada dos pescadores. Um falso pescador-capinador. Tudo falso. Sentei depois perto da pedra de onde Adélia despencara, mas não muito na beira, ainda sofro de vertigem. O panelão pardo fervendo. Nem os mortos têm sossego. Jogo sobre a pedra os três liriozinhos murchos, o vento ajuda, leva tudo no soprão, imagino sua descida.

O coração bate forte alagando um corpo sem alegria. Estou cansada. Vazia. Desgastada, o coração desgasta de sofrer, sei disso. Vontade de sumir, de inventar meu sótão, ali em cima seria um bom lugar: um cemitério por refúgio, um mundo como o de Catarina, ordenado e branco. Os ossos limpos, os móveis alvos. O pensamento calado. Sem podridão. Nem vermes: por algum tempo meu primo Otávio guardou em cima de um armário no sótão, às escondidas de tia Beata, umas caixas de sapatos com vermes verdes e nojentos, bichos-da-seda que se retorciam todos fabricando casulos. Bila é que gostava deles, metia a mão, olhava, ria sem dentes. Mas no meu cemitério tudo seria limpo e estático: sem perigos. Sem dor. Fantasmas comportados cheirando a alfazema.

Agora as almas eternas terão de procurar seus restos de corpos numa vala comum. Esqueletos desmontados, misturados. O depósito das almas penadas. Que histórias Adélia não inventaria, se estivesse aqui. A dor da sua ausência me apunhala fundo, que saudade, amiguinha. Como se ontem você ainda estivesse comigo, me abraçando, pegando minha mão, me dando a ternura de que eu precisava demais. E agora não tenho nem sua sepultura para visitar.

Sentada perto do túmulo saqueado de Adélia começo de repente a pensar em Vânia, minha irmã. Por que, por algum tempo depois da morte de Adélia, pensei, desejei ardentemente que Vânia a substituísse?

Impossível: os anos que nos separavam faziam dela uma moça quando eu ainda era criança, a "boboca". A atmosfera distante em nossa casa contribuía para esse afastamento: éramos todos hóspedes corteses no mesmo hotel de cortinas de renda e jardim bem cuidado. Mas Vânia era objeto da minha admiração constante: forte, independente, altiva. Parecia com tia Dora. Não se impressionava com essa história de avó doida e tia anã. E tinha ódio de Bila. Não entendia que ela vivesse tantos anos, não perdoava aquela sobrevida inútil. Ainda por cima, as amigas de vez em quando indagavam: E aquela sua tia anã?

Quando tínhamos de ficar perto de Bila no casarão Vânia lhe devolvia com fúria os beliscões, tirava o brinquedo, dava tabefe escondido. Dizia que a anã se fazia de doida para passar bem. Onde se viu uma tia assim? Não bastava a rezadeira, a coroca? Ao menos nossa avó fora uma louca elegante, bonita, aquela história de se vestir de branco. Rendas, cartas misteriosas. Mas Bila era um insulto.

Por muito tempo acreditei que Vânia não tinha nenhum medo, nenhum problema, que não gastava preocupação alguma com nossa família. Talvez não percebesse que nossa mãe, nosso pai, tudo era diferente.

Mas um dia, quando ela me contasse da promessa que tivera de fazer ao marido na véspera de casar, eu entenderia que seu sofrimento não fora muito menor que o meu. Mais silencioso, menos patético, mas insidioso, e acabara com sua vida. Pagara em dobro pela alegria da juventude. Só então, casadas, sofridas, provadas, cada uma no seu tabuleiro particular, começaríamos a ser amigas. Tarde demais.

Vânia, que sobreviveu, nunca substituiu Adélia, que se fora. Logo ela começou a ter uma vida de festas, viagens, amizades. Vinha nos visitar de vez em quando, perfumada, bem maquilada, vestidos na última moda. O marido não vinha: não gostava de tia Bea, não estava disposto a levar um beliscão ou uma cuspida de Bila. Com certeza ele escondia dos amigos que Vânia tinha uma família assim.

Demorei a perceber que aquele casamento também era uma farsa, que por trás do rosto bonito e do penteado impecável minha irmã escondia muita solidão. O marido a traía com meio mundo, nem as amigas escapavam, o caso era comentado, todos tinham pena da mulher tão moça, tão fina, tão solitária.

Quando Vânia me contou tudo vi que afinal nem ela levara a melhor parte. Na véspera de casar o noivo exigira: casamento, sim. Mas nada de filho. Iam passear, viajar, viver felizes, mas ele não podia arriscar naquela família complicada, a avó doida, a tia anã. Vânia entendia, não é? Sim, entendia. Não teve escolha: entre a fauna do casarão e o marido bonito e amado, escolheu sem hesitar muito. Decerto na hora nem pensava em filho. Mas a ferida estava instalada.

Com os anos as aventuras do marido foram sendo descobertas, a solidão que rondava aboletou-se na casa com piscina e tudo. Vânia era agora a neta de Catarina. A sobrinha de Sibila. Minha irmã. A possibilidade de que do ventre liso despontasse uma ponta de galho da árvore doente. Para onde fugir? Ainda amava o marido. Um amante não a salvaria: talvez até lhe exigisse promessa parecida, amor sim, filho nada, olha a sua família.

Fiquei com muita pena de minha irmã: traída, desamada, num silencioso desespero guardando as aparências do casamento. O beco sem saída onde todas nos encolhíamos.

O rosto de Vânia, boneca perfeita, cuidando para não enrugar demais com o pranto escondido. As lágrimas abrindo caminho. Eu queria abraçar, cuidar. Mas não tínhamos dessas intimidades.

•

Antes de descer o morro ando mais uma vez entre as sepulturas roubadas. Meus pais nem tiveram uma: não se enterra poeirinha de gente. Quando menos se espera, as parceiras escamoteiam uma peça.

Desço com Bernardo correndo à minha volta, ele quer

festa. Hoje não tem festa, cachorrão, estou cansada e doente. Nada para comemorar.

Nem consegui encontrar aquela veranista.

— Vem, Bernardo. Está na hora do almoço.

Preciso indagar de Nazaré se ela sabia dessa história de tirarem os mortos. Aqueles para quem Adélia e eu levávamos flores: as almas fora da jogada.

•

Finjo dormir a sesta. O filho da caseira brinca lá fora com Bernardo. Um menino magro, cara bonita, quase de anjo. O menino brinca com meu cachorro. Eu brinco de cabra-cega com meus fantasmas. Para mim, a peça mais importante sempre fora minha avó, que eu vira só uma vez no sótão branco recendendo a alfazema.

Um dia quando Vânia estava em vésperas de casar e ainda morando comigo no casarão, resolvemos subir ao sótão enquanto nossa tia cuidava de Bila no jardim. Ela não gostava de que ninguém entrasse ali, e apesar da curiosidade eu preferia que tudo continuasse dormindo em paz entre as teias de aranha.

Mas com Vânia corajosa ao meu lado, subi. Fiquei decepcionada: nada de rendas brancas, alfazema, fantasmas alvos, cartas pelo chão. Apenas um sótão desarrumado, caixotes de papelão, baús, móveis velhos, num canto a cama de criança de Bila, urinol embaixo. Ali também depositavam Bila nas horas de emergência, quando ela ficava muito louca ou chegava visita...mas ninguém visitava nossa casa.

Tentei abrir a porta de vidro para a sacada, coloquei-me no lugar onde tantas vezes, diziam, ela espiava o jardim por trás da vidraça ou da cortina transparente.

Antes que a porta cedesse, Vânia me chamou para ver o que havia num baú. Eu estava mais interessada em recompor a vida que Catarina levara ali. Quando teria começado a arrumar o sótão feito um quarto de menina? Por que teria se refugiado ali? O que pensaria sozinha anos e anos a fio? Com quem falava sempre, para quem eram aquelas famosas cartas, as misteriosas? Quem seriam seus fantasmas?

Vânia insistiu:

— Venha, Anelise! Aqui tem um montão de coisa.

Mas eu queria lembrar: minha visita àquele quarto, a moradora de roupa comprida e branca, rosto perplexo, bonito. A impressão de tristeza e medo que levara comigo. O nervosismo de minha mãe quando a mulher perguntara se eu era Bila. A escuridão da escada de madeira. A escuridão da mente de Catarina.

Virei-me para minha irmã:

— Vânia, descobri com quem ela se parecia.

— Ela quem?

— Catarina, ora. A nossa avó. Que morava aqui.

— Se parecia com quem? — A voz saía do baú sem muito interesse.

— Com Virgínia. Virgínia Woolf. A escritora inglesa — reforcei. A cara de minha irmã apareceu sobre a tampa, intrigada e vermelha; naquela hora não era a mocinha que vai casar logo, era a menina travessa que vai se vestir com as roupas da mãe. Da avó maluca.

Depois ela começou a rir o mesmo riso desatado de Adélia; naquele tempo Vânia ainda ria assim:

— Ora, essa era viada, Anelise, gostava de mulher. A escritora aquela. A doida. Meteu pedras no bolso e se enfiou num rio.

— Mas eu li que não era verdade. Era esquisita, tinha

umas manias, vivia com medo de tudo, de homem, de coisas. Mas era a cara dela, Vânia, o jeito assustado.

— Você lê demais, vai ficar louca também — sentenciou ela.

Esqueci por fim as semelhanças. Era tão raro minha irmã me dar alguma atenção, e agora que ia casar me deixaria mais só ainda. Fui ajudar a remexer no baú, e só paramos quando tia Beata lá de baixo nos chamou com sua voz de velhinha. Voltamos a um mundo triste onde nossos pais já não existiam. Vânia me deu a mão, sorriu:

— Vamos sair do antro de perdição!

Descemos correndo a escadinha torta.

Vânia saberia mais sobre nossa avó do que fingia saber? Talvez não ligasse, ou tivesse medo também, mas não confessaria nunca que sentia medo, isso era para as bobas como eu.

"Ela era uma viada, entendeu?" A frase me voltaria à memória mais vezes, conforme eu fosse apreendendo detalhes de Catarina e compondo devagar um retrato fragmentado, feito dos mexericos da cozinha, das alusões de nossas amigas, dos silêncios constrangidos dos adultos. Havia no casarão segredos bem mais tortuosos do que a mansa loucura de umas cartas sem destinatário.

Ninguém sabia ao certo o que se passara entre as paredes do sótão. Pouco antes de morrer ela começara com uma nova mania: escrever. Compunha longas cartas desconexas e garatujadas em letra gótica num talhe apressado, inclinado para a frente como se um vento forte soprasse da esquerda. Cartas em alemão, língua que Catarina preferira sempre. Pareciam ora dirigidas a um homem, ora a uma mulher, talvez escrevesse também as respostas, tudo misturado.

Quando a interrogaram, com cuidado para que não se assustasse, apenas sorriu. Não deram importância maior ao fato, talvez a governanta pudica encabulasse um pouco ao ler passagens ternas e ardentes, mas Catarina nem reclamava quando diariamente a empregada da limpeza recolhia a papelada no chão e nos móveis e botava fora. Novas cartas já estavam sendo escritas, e isso acabou rotina. Uma doida bonita, asseada, mansa, escrevendo e murmurando entre rendas e alfazema. Não fazia mal a ninguém.

Um dia, o escândalo: Catarina von Sassen, quarenta e seis anos, louca e linda, foi encontrada na cama em atitudes suspeitas com a enfermeira mocinha que diariamente lhe aplicava injeções de vitamina e massagens para compensar a longa reclusão.

Ninguém soube detalhes, a Fräulein não os daria. Expulsara a enfermeira, o médico chamado às pressas acalmou a doente, não fora nada, estava tudo bem. Aparentemente a coisa resolveu-se assim.

A partir daquele dia, passado o efeito dos fortes calmantes, a moradora do sótão ficou extraordinariamente calma. Não escrevia cartas, não recitava suas ladainhas, não perguntava por ninguém. Não falou mais com pessoa alguma.

Era toda uma ausência parada atrás da porta de vidro da sacada. Três meses depois, morreu.

Já fazia tanto tempo: algo para esquecer.

Fiquei emocionada quando tia Dora me contou isso nos primeiros tempos em que moramos juntas. O segredo de Catarina. A intimidade violada, o que eu adivinhara mas ninguém me contara antes.

Minha tia também se comoveu, cigarro apagado nos dedos. Calejada na solidão e nos desamores, devia avaliar bem

as parceiras

as necessidades da solitária e carente que fora sua mãe sem o ser de fato.

Talvez um inocente ardor, um desabafo de ternura contida, mal interpretada pela governanta inábil e fria. Talvez aquela simples enfermeira, jovem e ingênua, não tivesse assustado Catarina. Que esta precisasse disso mais que de remédios ou massagens: alguém que se aproximasse sem meter medo, sem ditar regras, sem espreitar ou desconfiar. Alguém simplesmente para amar, e não importava o sexo, a condição.

Tragédia sutil aquela: não permitiram a Catarina nenhuma salvação.

Devia ter sido fácil amá-la: nos poucos retratos, todos adolescentes, olhava para a gente, interrogativa e doce.

Pensei muitas vezes nos rótulos grosseiros que recobrem os amores mais delicados, os intrincados, os subterrâneos mas não necessariamente sombrios. Deviam ter permitido que ela provasse algum calor humano em seu universo imaculado. Não permitiram.

Desde que estou no Chalé ainda não chorei por mim, mas hoje chorei por Catarina, cuja sorte, embora diversa da minha, nos aproxima tanto. Choro pelos acossados, os desamados, os dúbios, que não conseguem amar dentro do esquadro alheio.

Aqui da varanda vejo um entardecer macio. O mar fingindo não ter segredos, nem outras vozes que não as dele. Hora de solidão. Eu queria solidão para não ferir aos outros nem ser machucada. Arestas demais. Agora, moça, você tem sua solidãozinha, com a caseira, o cachorro e a veranista que volta e meia aponta no morro. Um bando de mulheres sozinhas e doidas.

Achei que talvez Tiago me telefonasse, mas, pensando bem, não havia o que dizer. Que aceitava a separação, era lógico: estávamos mais que separados. Que pretendia voltar a brincar de irmão e irmã? Duvido. Que desejava tentar reacender o amor? Impossível, estamos tristes demais, meu querido. Ao menos, eu estou. Sexo triste não funciona, amor sem sexo vira coleguismo, e o nosso foi só coleguismo no sofrimento. E se meu primo Otávio aparecesse hoje no Chalé, indagando:

— Você quer ser a minha amada, Anelise? — acho que não teria forças nem para isso. Cinzas, camadas e mais camadas sobre as coisas boas.

Começa a esfriar, meus cabelos estão úmidos e gelados.

— Pra dentro, Bernardo. Até a nossa amiga lá em cima já deixou seu posto.

Vai ver, curte um amor impossível. O amado morreu no mar. Como era a canção de minha mãe? Os filhos de reis se amavam, mas havia a água escura no meio. As velas apagadas. O morto de boca pálida. "Sie küsste den bleichen Mund."

— Romântico, não é cachorrão?

Nazaré não sabe se os lírios rosados crescem o ano todo. Ela não tem tempo de subir o morro e olhar a paisagem. Ela cuida da vida real aqui no Chalé.

Terça-feira

A manhã se estende tão luminosa que decido andar na praia. Bernardo se molha todo, entra nas primeiras ondas, volta e me respinga. Não há ninguém aqui a essa hora, apenas uma mulher idosa e uma criança. Ou é mocinha? Uma criatura melancólica que me lembra Bila. As mesmas orelhas pequenas, baixas, o perfil truncado, a estatura frustrada. Mente truncada também, tudo por acabar. Gorda e branca, mãos fofas que nem chegam às coxas, penduradas nos braços curtinhos.

Bila segue ao meu lado um longo trecho na areia. A manhã perdeu sua beleza. Bila, Bilinha. Nasceu quando a mãe tinha quarenta anos, e vivia totalmente reclusa. Há tanto tempo não via o marido, talvez nem se lembrasse dele. Trocara-o, quem sabe, por algum ser belo e intangível, daqueles príncipes dos livros de menina, que não violasse seu corpo solitário.

Aparentemente a enferma nem se apercebera dos casamentos das filhas, da viuvez de Bea.

O dono da casa vinha raramente. Mas um dia voltou. Gritalhão, brutal, bebeu muito, azucrinou as criadas e a governanta, a filha viúva. Indagou de Catarina, quem sabe lembrava de repente uma menina loura e delicada de anos atrás. Por fim subiu. Horror no sótão, vômito amargo.

Oito meses depois a doente deu à luz uma menina enfezada que tia Beata fez batizar de Sibila. A criança nascera com grande dificuldade da mãe fraca e delirante, que parecia nem saber o que se passava.

Catarina não quis ver a menina, foi como se no outro dia já estivesse esquecida de tudo. Quando falavam na filha respondia com aquele sorriso distante. Aprendeu-lhe o nome porque a Fräulein e tia Beata ensinavam, insistiam, mas era o nome de uma criança estranha.

Surpreendentemente, quando todos se tinham habituado àquilo, Catarina pediu para ver Sibila, que já tinha uns três anos. Talvez soubesse que era sua filha. Talvez a memória obscurecida registrasse a gravidez, o parto, o primeiro grito. Talvez lembrasse o terror da concepção. Pode ser que tivesse notado o problema da menina, porque logo quis que a levassem embora e chorou muito. Depois voltou a ignorar sua existência. Possivelmente criou para si uma filha loura e perfeita, incluída entre as personagens do sótão. E quando me vira, naquela minha única visita, perguntara se eu era Sibila.

Mas ela, Bilinha, cresceu à revelia: cresceu só a metade do que deveria, ou menos, porque as mulheres da nossa família eram geralmente bem altas. Feia, cabeça pequena, olhinhos suínos, cabelo ralo e preto. Nunca lhe nasceriam dentes. Falava numa algaravia que só tia Bea e a Fräulein decifravam em parte.

Quando estava calma andava pela casa, trotava no jardim, alheia a um rosto branco que a espreitava na porta de vidro do sótão. Vagava entre os canteiros simétricos com flores e beiradas de morangos. Bila dava muito trabalho: cuspia nas pessoas, beliscava, judiava dos bichos. Tinha mania de pegar insetos, comia formigas, mais de uma vez a peguei puxando as pontas de uma minhoca até a pobre estourar.

Bila adorou os bichos-da-seda que um dia inquietaram o sótão.

E transformaria num pesadelo meus anos no casarão. O pior é que parecia gostar de mim: me seguia por toda parte, queria comer ao meu lado, babava meu braço, segurava minha saia, guinchava atrozmente quando eu fugia ou mandava que a levassem dali.

Mas não era só por nojo que a repelia: era medo. Essa tia anã era o fruto mais caprichado da árvore temida, a árvore familiar de que eu também fazia parte. Só quando Lalo nascesse eu entenderia como esse medo fora grande.

Quando eu era criança tia Beata falava na árvore que nascia na barriga se a gente engolisse muita semente de fruta:

— Nasce laranjeira, macieira.

Eu chorava apavorada, sozinha de noite. E se por algum buraco do meu corpo começasse a brotar, silenciosa e terrível, uma ponta de galho?

Devia ser assim com Bila: a ameaça do que a qualquer momento podia estourar em mim também. Não passara boa parte da infância temendo ficar doida?

Até as empregadas tinham medo da anã: diziam que dava azar, tinha mau-olhado, previa desgraças, via "coisas". Tia Bea combatia essas crendices, dizia que Bila era apenas uma pobre criança. Acho que concentrou nessa irmã todo o seu pouco afeto, e quando ela morreu chorou longos soluços por quem nunca entendera sua dedicação sem recompensas.

— Somos uma família bem esquisita, hein tia? — eu disse certa vez a tia Dora, quando morávamos juntas.

— Uma família de doidas — respondeu ela no seu jeito rude.

A mulher e a filha somem, duas figurinhas perdidas na areia.

Eu podia ter sido sua amiga, Bila, tiazinha anã. Podia ter penteado sua trança, trazido seu brinquedo, limpado sua remela, ao menos podia ter disfarçado. Sentido mais compaixão que repugnância ou terror.

A alma-irmã de Bila há de vagar por aí, chegou ao mundo e só encontrou aquilo: um caco de gente.

Adélia, suas histórias não estavam todas certas.

Bernardo entra mais fundo na água, atira-se sobre mim, grande como um homem. Me lambuza toda. Vou lhe dar um banho em regra, e enxugar com uma daquelas toalhas felpudas. Tia Beata vai sacudir a cabeça na minha memória, que falta de higiene. Mas a essa altura eu não dou a mínima por coisa alguma.

•

Enquanto almoço, sem vontade, Nazaré trapraqueja na cozinha. A pia entupiu. A casa é tão pouco usada ultimamente que está caindo aos pedaços.

No casarão também havia problemas na cozinha. A caixa de gordura entupia, transbordava, espalhava um cheiro úmido repugnante. Um dia limpei essa nata gorda. Isso foi quando eu estava lá havia uns quatro anos, pouco antes de morar com tia Dora. Estava saturada daquela vida, dos santos e rezas, das implicâncias. Até Bila me fazia falta, fora-se num caixãozinho de criança, e a Fräulein sumira, esclerosada, na casa de uns parentes. Tia Beata só tinha a mim para fiscalizar, como se eu ainda fosse criança, a boboca dos outros tempos. Eu não levava amigas para o casarão, tinha vergonha por causa de Bila, e mesmo agora tinha vergonha por causa daquela tia esquisita, da casa feia e escura cheirando a mofo. Não me dobrava mais diante de minha tia nem me dava o trabalho de fingir. Não ia à missa, de birra. Lia obras "escandalosas" que tia Beata condenava sem conhecer, fazia questão de lhe mostrar tudo. Mas o que eu mais fazia era pensar, no jardim, entre canteiros comportados e morangos alegres. Que vida mais sem sentido era aquela minha? Por que tudo comigo era assim triste? Por que as alegrias duravam tão pouco?

Deitava na grama, espiava a sacada do sótão, no terceiro andar. Era o rosto de Catarina atrás do vidro, ou era imaginação?

Comecei a ficar atrevida. Não me submetia mais, quem sabe a velha me expulsava e eu ia morar com tia Dora.

Um dia, sexta-feira santa, no meio da tarde fiz um sanduíche na cozinha. Presunto. Na hora não lembrei o jejum, a abstinência, que para minha tia eram questão de vida ou morte. Quando eu comia no quarto ela entrou, sem bater como de costume. Nunca me dera a chave do quarto, sabe lá o que eu faria sozinha e trancada.

— Você só se alimenta de sanduíche e coca-cola. Olha as migalhas na cama, a casa anda cheia de barata. Hoje nem é só abstinência, é jejum! — O rosto pontudo avançava, censurava. — Não se come fora de hora.

Olhei. Não havia migalha. Ela baixou-se um pouco. Leite de rosas:

— Presunto! — exclamou como se eu estivesse nua na cama.

E, diante do meu olhar desafiador, virou-se e saiu batendo a porta.

O incidente me pareceu ridículo na hora, mas depois comecei a chorar feito uma idiota sobre os restos do lanche. A solidão era tão pesada que meu coração ia rebentar, que bom se tudo estourasse feito uma bolha de sabão, um avião explodindo no ar, um corpo de menina batendo nas pedras pretas, lá embaixo. Tudo acabado: tão simples.

Quando devolvi a garrafa na cozinha a empregada estava ajoelhada, cabeça debaixo da pia, mexendo na caixa de gordura. Um cheiro enjoativo no ar. Podridão, lixo. O que fiz não foi por bondade, nem para ser humilde. Sempre tivera nojo até de botar a mão em carne crua, mas na hora pedi que ela me deixasse ajudar.

A preta tirou a cara de baixo da pia com ar resignado. Deixava.

No jantar tia Beata diante de três sardinhas num prato. Quase tive pena, mas a raiva era maior, não só dela, de tudo o que me sufocava.

Estourei:

— Sabe, tia, hoje também fiz penitência pela sexta-feira santa.

Ela ergueu uns olhos baços, desconfiados.

— Ajudei a empregada a limpar a caixa de gordura da cozinha, aquela pia está nas últimas, tudo podre.

Ela ainda não entendia.

— Achei que botar a mão naquela sujeira era uma penitência muito maior do que me regalar com peixe. Ou sardinha — concluí maldosa.

Por um momento ela pareceu insegura, onde ia parar seu

mundo certo e medido? Mas logo se recuperou: a Igreja tinha regras. Ou se pertencia, ou não se pertencia.

Pois eu ficava de fora. Aprendera que a distinção entre o bem e o mal não era assim tão simples. Se o bem era a vida de tia Beata e o mal a de tia Dora, eu preferia o mal. Mais verdadeiro, pelo menos. Não havia fantasmas, anãs, sombras e frieza no apartamento daquela tia que eu gostava tanto de visitar, mas vida, uma vida saudável e simples. E eu nunca me aproximara muito de Deus: medo de descobrir que em lugar dele nada havia senão duas velhas caspentas jogando no tabuleiro em que as sombras feito uns bonequinhos corriam, saltavam, devoravam-se. A gente acendendo velas como um desesperado, as bruxas soprando com força.

Minha solidão e a de tia Bea somavam-se num vazio intolerável. E por algum tempo, muito breve, ele foi quebrado pela presença de Otávio, meu primo, que passou três meses conosco. Tia Dora não tivera filhos mas adotara aquele bebê, criava como podia, não era fácil, ela viajava muito. Mas ele parecia um rapaz independente, arranjava-se com amigos, internatos quando era preciso.

Eu não via muito seguidamente o primo arredio que tia Beata encarava com desconfiança, sangue estranho na família não presta.

Além disso o rapaz tocava piano, gastava tempo e dinheiro com um capricho desses, apoiado pela mãe. Tocar piano, para tia Bea, não era coisa de homem. Otávio ela achava mimado demais.

Ele tocava lindamente. Escutando eu pressentia que aquilo era uma fuga, uma entrega a qualquer coisa no seu mundo particular de que ninguém partilharia. Um aquário, um espaço submarino de sombras verdes e sinuosas, onde as bocas dos afogados emitiam borbulhas, aquelas delicadas dissonâncias. Essa era a música de que eu mais gostava: as improvisações que ele fazia quando não havia ninguém perto, ou apenas eu — mas eu não contava, era a priminha.

O anjo do piano transformava-se num rapaz sedutor de sorriso tímido e sensual, quando parava de tocar e se voltava para mim, como se só então se desse conta da minha presença. Havia nisso uma cumplicidade que me aquecia a alma.

O único homem com quem eu convivera fora meu pai, um convívio formalizado e sem intimidades. Por isso quando tia Bea concordou em deixar Otávio ficar conosco naqueles meses senti que haveria enfim uma trégua, uma mudança, uma companhia de verdade.

Bila ainda vivia, e acho que nós duas, cada uma a seu modo, nos apaixonamos por ele. Ou melhor: eu me apaixonei logo por Otávio. Bila, pelas suas caixas de sapato.

Meu primo chegou com um mínimo de roupa: camisetas, *jeans*, tênis, tudo o que tia Beata desaprovava. Mas trouxe também as misteriosas caixas de sapato que guardou no quarto, e mais tarde, quando descobriu a chave do sótão, escondeu lá em cima, num lugar onde Bila não alcançasse. Eu pedia para ver o que havia dentro, mas era segredo. Um dia ele consentiu, desde que eu não contasse para "a velha". Jurei que não, eu faria tudo por ele.

Havia vermes nas caixas, verdes, pelados, nojentos, entre folhas de amoreira. Otávio explicou que eram bichos-da-seda, mas meu nojo não passou. Então, para me magoar, ele mostrou tudo a Bila, que sem entender nada adorou os bichos, pegava na mão, delicada, os corpos moles. Segredo mais sem graça.

Quanto mais eu ouvia Otávio tocar piano no canto da sala,

mais ele se transfigurava para mim, de um adolescente tímido ou malcriado passava a um menestrel, efebo, bela criatura andrógina de um mundo submarino.

Otávio era muito especial. Eu não entendia bem por que, achava tudo nele diferente, amava tudo, os olhos, a pele, o cheiro, a boca, o cabelo, as mãos de pianista. E o que nos uniu, breve e fulgurante, até hoje continua em mim, embora mudado. Foi Otávio quem me deu o primeiro beijo na boca, me fez viver uma primeira, incompleta e assustada experiência de sexo, me ajudou a enxergar outra vida além dos paredões sombrios daquela casa.

Também Otávio tentaria me ajudar quando meu casamento desmoronou depois dos anos perfeitos; ele sabia que nada era perfeito, e eu não acreditara. E quando tudo se esvaziasse, Otávio seria o meu amigo, a me dar a mão. Éramos um velho amor, todo desarrumado mas fiel. Só que não fazia sentido.

Muitas vezes enquanto ele tocava eu ficava a imaginar qual seria o seu segredo, para onde fugia quando se entregava assim à música, que dúvidas e ânsias expressava nas teclas. Havia uma fenda, eu sabia, uma falha qualquer, mas tão vaga que logo se perdia. O efebo tocava, sem me ver.

O filho de Nazaré me acorda dando risadas enquanto brinca com Bernardo lá fora. Abro a janela, indago seu nome.

— Zico — ele responde numa gargalhada. Bernardo quer tirá-lo de cima. Otávio tinha um riso assim, como o de Adélia, libertado e inocente. Mas ninguém ria por muito tempo.

O meu jantar é servido na varanda. Ainda não escureceu, e por uns momentos avisto a solitária no morro. Mulherzinha obstinada. Amanhã quero descobrir sua identidade, onde mora, o que quer ali. Nazaré não sabe nada a respeito dela.

Saber: não sabemos nem de nós mesmos. O que é que eu

sabia de Otávio? O sorriso sensual numa cara de anjo-adolescente. O jeito cúmplice e quente, os toques quando tia Beata não via. O que é que eu sabia do casarão que a presença de meu primo iluminaria tanto?

Os primeiros meses que passei lá foram um tormento. Eu estava nervosa, perturbada com a morte súbita de meus pais. Tinham-se apagado feito duas velas, a gente sopra e some tudo no ar. Morte inacreditável, sem doença, sem velório e enterro, sem túmulo. Sem mortos nem cemitério.

No casarão havia medo, tia Beata, e Bila. Um sótão misterioso. Mexericos de cozinha sobre fantasmas e vozes. De noite eu sofria mais, escutava gente murmurando sem parar lá em cima. Qualquer sombra me assustava. Havia rostos atrás da cortina, eu não os enxergava mas tinha certeza de que estavam ali. Se a cortina estava aberta, havia um par de olhos fixos atrás da vidraça. Eu acordava molhada de suor, hirta de medo, não conseguia nem estender a mão e acender a lâmpada de cabeceira: estátua de pedra, anjo de sepultura.

O quarto enorme com a cama perdida no meio, altas paredes pintadas de ramagens num fundo escuro. Perto do teto, um friso com rosas nítidas, caules e até espinhos. Eu contava as flores para espantar o medo. Mas havia alguém falando. No sótão.

Quando não aguentava mais, corria até a porta, seguia pelo corredor, batia no quarto de tia Beata:

— Tia, estou com medo. Tem gente lá em cima.

— Lá onde, menina? — Voz cansada e impaciente. Sem amor.

— Lá. No sótão.

— Bobagem, menina. Você já é grandinha demais. Vá dormir.

Eu insistia, gelada de medo, mas a velha não cedia.

— Tia Bea, tem gente lá em cima, falando, eu estou ouvindo.

— Anelise, não se faça de boba. Reze que passa. Durma bem. Durma com Deus.

Mas Deus não ligava para os meus medos, não mandava as vozes se calarem. Eu me enfiava de novo na cama, tremendo. Quase pedia a tia Beata para dormir com ela, mas me repugnava deitar ao lado do corpo ossudo cheirando a leite de rosas. Procurava não pensar nas conversas das empregadas sobre o rosto que ainda hoje se via pela vidraça no sótão, sobre a mulher de branco que andava no jardim, encurvada como se apanhasse papéis no chão. Eu queria pensar em coisas boas: Adélia, nossos lírios e estrelas-do-mar, o casamento de Vânia. E o meu? Um dia também deitaria na mesma cama com um homem lindo e bom. E apaixonado. Não era tola como minha avó, sabia coisas, imaginava, e um calor secreto me inundava, esquecia o sótão, as vozes. Dormindo escapava ao íncubo.

Aos poucos o medo exagerado dos primeiros tempos cedeu. Não havia vozes, Catarina morrera há muito, o sótão era apenas um quarto sujo que eu visitara com Vânia aquela vez. Cheiro de urina velha. A cama de Bila.

Minha vida mudou: fiz novas amizades, estudava, mas nada compensava a solidão, isso não mudara. Não havia mais Adélia, o casarão não era um lar, não formávamos uma família. Eu não trazia amigas para aquele lugar triste, tia Dora e Vânia nos visitavam pouco, fugiam às alusões e olhares azedos. Mas tia Dora se compadecia de mim: agora me levava para ver o ateliê, onde eu admirava aqueles quadros singulares. Me chamava sua princesa magricela. Abria-me, com seu calor, um mundo pelo qual eu esperara tanto: sólido, verdadeiro. E um pouco assustador, porque nada parecia esfumado, fácil lidar com fantasmas, eu já me habituara. Ali tinha-se de assumir o real. E havia Otávio, meu primo tocando piano na sua dimensão particular para onde eu queria ser levada junto, esquecendo Bila, Catarina, e todas aquelas histórias.

Quanto Otávio veio ficar conosco foi como se virassem de cabeça para baixo o velho casarão. Otávio corria pelas escadas, roubava morangos maduros, me ensinava a escorregar nos corrimões feito criança, me mostrava ninhos de passarinho. Não caçoava de Bila nem parecia ter nojo dela. Levava-a pela mão, erguia-a no colo para mostrar o ninho escondido, e me deixava enciumada, eu pensara que aquele segredo fosse só nosso. E ainda havia as caixas de sapato, o mundo torto onde Bila estava iniciada e eu não.

E entre as brincadeiras as longas conversas sérias numa rede do pátio, a proximidade na banqueta do piano onde ele me ensinava peças a quatro mãos. Eu me atrapalhava com as notas, sentia aquele calor perto de mim, olhava fundo nos olhos, amava o sorriso nem sempre tímido agora.

Meu primo era fascinado pelo sótão como eu, vivia procurando a chave que tia Beata escondia. Contei a ele que estivera lá uma vez com Vânia, mas não havia nada. Depósito de Bila quando ela ficava impossível. Ele queria ouvir de novo a história de Catarina. Eu contava, contava, assustada com minhas próprias palavras.

Só tinha velharia empoeirada no sótão. Mas de noite, as coisas reviviam: as insólitas.

Otávio ria, me chamava de medrosa, puxava meu rabo de cavalo. Com o tempo descobriu o esconderijo da chave, e subia ao sótão onde desde então guardava as caixas misteriosas.

Éramos dois adolescentes solitários e carentes. Levei apenas duas, três semanas para entender que ele não era só o primo, o amigo, o companheiro de correrias: era o primeiro homem. Nossas mãos se entrelaçavam debaixo da mesa. As pernas encostavam-se na banqueta do piano. As bocas próximas inventavam segredos tolos. Os corpos íntimos roçavam quando dançávamos na sala, especialmente nas noites em que tia Beata tinha novena.

Momentos roubados, por isso intensos, coração em descompasso, sangue inquieto. Pura vertigem. E a sensação de que tudo tinha de ser rápido, não havia tempo. Tudo breve demais; ainda assim, comecei a mudar. Ria sem motivo, cantava, desabrochava, meus fantasmas se encolhiam num canto, eu estava toda tomada pela presença de Otávio, seu riso, sua música. A cumplicidade das coisas não ditas nos unia: os contatos, os olhares. Uma noite nos beijamos na porta do meu quarto. Fomos andando pelo corredor, mãos dadas, eu me sentia fraca e tonta como se fosse ficar doente. Tínhamos falado das nossas vidas, eu queria descobrir o que havia no meu primo que o fazia recolher-se de vez em quando para um mundo só dele, atrás das pálpebras meio descidas, especialmente quando tocava. Ele temia alguma coisa: não fantasmas no sótão, como eu, mas algo menos intangível, mais perigoso, mais devorador.

Chegamos na porta do meu quarto, Otávio me abraçou, encostou no meu o seu corpo inteiro, um corpo duro, assustador e insistente, um calor tonto escorria de mim, ventre em fogo. O beijo foi demorado, hesitante primeiro, eu não era criança mas beijo na boca nunca. E Otávio não parecia muito experiente. Depois, o toque profundo, até que tive medo de desmaiar. Pensei no quarto, na cama ali tão perto, a mistura de desejo, curiosidade e medo me afligiu, libertei-me e entrei às cegas, fechei a porta. Não conseguia andar, as pernas fraquejando. Quis morrer de amor naquele instante. Tão bom morrer: porque eu me sentia imortal, podia desafiar a morte.

Passei a noite lembrando cada milímetro da cena: o corpo, a boca, a língua, a presença de Otávio.

Acho que não esperávamos muito dessa ligação, mas por algum tempo a chama desajeitada nos consumiu. Quando ele voltou para junto da mãe, chorei muitas noites. Nossos encontros ficaram mais espaçados, alguns beijos e toques, estávamos constrangidos. Alguma coisa faltava, talvez o mistério do casarão onde tudo era proibido e melancólico, e a paixão, só ela, nos iluminava.

Tia Dora mandou Otávio para o exterior, aperfeiçoar-se no piano, e por muitos anos só trocamos cartões quase fraternos. Não havia coragem de falar em intimidades: ele me chamava "priminha".

A sensação vital e estuante que eu experimentara me fez entender mais intensamente que o mundo não se resumia a uma casa grande e escura, com medos no sótão. Havia uma floresta de experiências que esperava por mim: havia a liberdade.

Quando fiz dezoito anos a convivência com tia Beata se tornou insuportável. Ela não podia mais comigo, repetia a todo instante. Afinal tia Dora concordou em ficar comigo, eu não era mais a criançola precisando de controle. Tia Bea foi para o seu convento, de certo penitenciar-se pelas loucuras da família, e pela vida que eu iria, na sua opinião, levar daí por diante. Venderam o casarão, derrubaram, construíram um edifício sobre os meus fantasmas e o sótão de Catarina.

Muitas famílias moram sobre o sótão. Bom não existir mais nada daquilo: bastam as nossas dores de hoje.

As minhas de agora se fundem numa sensação única, a de que a vida acabou. Estou na sobrevida, no prazo final. Não tenho mais força, preciso me encolher toda, respirar devagarinho, pensar com cautela. Ao menor esforço vou me desfazer em mil pedacinhos de um quebra-cabeça insolúvel. Viro poeira de gente também: Bernardo varre o assoalho com a cauda, e fim para Anelise, neta de Catarina.

Passo da rede para a cama, como uma doente. Nos últimos anos vivi mais deitada do que de outro jeito. Para aguentar os golpes, puxar as pernas para junto do queixo, abraçar os joelhos, fechar os olhos. Cada batida do coração, um soco.

Afundo na cama como afundei na rede: falo bem baixo com meus duendes, meus mortos. Meus anjos.

Os mortos roubados do cemitério, a calmaria quase perfeita, se não fosse a dor, a dor.

•

A tempestade da paixão por Otávio passou, deixando uma nova Anelise, que apesar da saudade pensava menos na avó doida, na tia anã, e mais na vida, no próprio corpo, na esperança. Sabia agora que era capaz de amar e ser amada com beleza e fogo. Olhava apaixonada o canteiro de morangos. Queria beijar todos os rapazes, amar todas as mulheres tristes, até abraçar tia Beata e simpatizar com Bila. Me sentia linda, única, inarredável como Adélia de pé no seu rochedo, desafiando.

Assim feliz, arrebatada, não consegui mesmo viver mais com tia Beata. Bila adoeceu: nem chegou a ir ao hospital.

Uma pneumonia fulminante a matou, a excessiva sobrevida terminava. Tia Beata tratou dela como se fosse filha. Deitava do seu lado na cama, beijava a mão miúda e desengonçada, acariciava o cabelinho pobre. Falava com uma ternura de que nunca a julgara capaz, e Bila certamente sequer entendia o carinho. A solidão de minha tia devotada à irmã, anãzinha debiloide, me comoveu. Senti remorso mas nem assim pude ser sua amiga. Morta Bilinha, minha tia me encarou com mais rancor: eu sobrevivera, não para lhe dar companhia e consolo, apenas para complicar sua vida. Eu desabrochava, insolente, inconformada. Escutava meus discos a todo volume, entrava e saía como bem quisesse, não dava satisfação de nada, e como não gostava de levar amigas ao casarão, para que não fizessem perguntas, passava fora de casa a maior parte do tempo.

Por fim, tia Dora interveio: andava sozinha demais, o filho sempre no estrangeiro. O casarão estava velho, precisava de reformas ou que o vendessem. Não foi difícil convencer tia Beata de que eu passaria a morar com tia Dora. A Faculdade me impunha novos horários, eu precisava de mais liberdade.

Tia Beata concordou com evidente alívio: visitei-a algumas vezes no convento onde foi ocupar um quartinho perto da capela, freira sem ser freira. Tentávamos ser gentis uma com a outra. Passeávamos nos jardins sossegados, no pomar com as freiras de avental cuidando de alfaces, colhendo laranjas. Nossas conversas eram pobres, artificiais. Os silêncios, demorados. Até que deixei quase completamente de procurar por ela, que não desistia de tentar me converter, e vivia indagando de tia Dora, a vida no ateliê, as amizades, e Otávio, tão suspeito, que nunca voltava para casa. Falas azedas, sem graça.

Quando tia Beata morreu tive muita pena: nunca, nunca mesmo, ela conhecera a menor alegria?

•

O apartamento de tia Dora era quase todo um enorme ateliê, mais alguns quartos e a sala com o piano num canto. O piano de Otávio. O que no casarão fora sombra e mofo, ali era claridade, tintas, cheiros fortes e fumaça de cigarro. Em lugar de vozes alquebradas, risos fáceis. Ninguém queria me vigiar. Viver tornou-se um ato saudável, não uma obrigação penosa.

E foi como se a amizade de Adélia e o breve desabrochar com Otávio me tivessem preparado para essa nova experiência. Essa libertação.

Adaptei-me com espantosa rapidez e facilidade, nada havia feito na vida senão esperar por aquilo.

Tive novas amizades, namorados. Otávio ainda era uma saudade, o piano me lembrava dele, mas há tanto tempo viajara e parecia estar contente assim.

Já não parecia o adolescente a um tempo esquivo e ousado que passara aqueles meses no casarão de tia Beata. De alguma forma eu sentia que vivia segredos bem mais graves do que caixas de sapato com bichos-da-seda.

Havia sempre amigos no apartamento, tia Dora atraía os solitários, os tristes, que a amavam pelo calor e jeito maternal, a bondade um pouco rude, o humor sem amargura. Agora eu pertencia ao grupo que tia Beata sempre chamara "a fauna da Dora", e classificava sumariamente: veados, mundanas, vigaristas.

No casarão houvera meandros bem tortuosos, escuridões, dramas, e pior que tudo, o desamor. Com tia Dora esqueci um pouco tudo aquilo, e me senti parte de uma fraternidade, embora logo entendesse que atrás das conversas animadas e dos copos de bebida estavam todos irmanados pela solidão. Pelos medos?

Eu, que fora a boboca assustada enquanto minha irmã aprendia a viver, de repente tinha nas mãos as mesmas oportunidades. Saí da casca com surpreendente naturalidade, como se apenas esperasse aquela hora para nascer.

Eu desejava com fervor ser parecida com tia Dora. Mesmo com relação a seus casamentos fracassados ela mostrava um bom-humor divertido e sem ressentimentos. Talvez desabafasse nos quadros: os monstros que retratava eram seus filhos secretos? Estava envelhecendo e não pensava mais em casar, lia com avidez as cartas do filho, cuidava de mim sem me aprisionar. Mechas louras e grisalhas eriçadas na testa, dedos sujos de tinta, cheiro de terebintina. Nem a fragilidade de minha mãe, nem a secura de tia Beata.

Ali não havia sótão, Bila, horários rígidos, desconfianças, mexericos e sombras na escada em caracol. Havia amigos, quadros, portas abertas, vida natural. A gente sofria? Tinha de sofrer, fazia parte do jogo, mas havia também as coisas boas, os passeios pelas ruas, as pequenas viagens, as longas conversas, a solidez. Os fantasmas que dormissem no seu canto, entre caixas de sapato e alfazema.

Minha tia não admitia ninguém por perto quando pintava, mas deixava que eu ficasse desde que prometesse não falar.

Eu me sentia escolhida, íntima, ao menos uma vez na vida participante. Será que jamais participara da vida de alguém? Adélia talvez, mas havia o penhasco, o panelão tragando tudo. O resto: sombras mais ou menos nítidas, mais ou menos vivas.

Foi observando o trabalho de tia Dora que descobri aquilo dos anjos. Porque minha tia pintava monstros, ela achava graça quando eu chamava assim, mas eram monstros tristes, figuras vagamente humanas, aqui um olho, ali um crânio calvo, adiante um par de mãos. Figuras incógnitas, bruxas e demônios. Bilinhas esfumadas. Todo mundo queria comprar aqueles quadros de cores sombrias, inesperados clarões.

Contudo, enquanto se preparava para um novo quadro ou descansava, tia Dora criava anjos. Esboçava em folhas brancas umas alusões de anjos tão belos quanto seus monstros eram deprimentes. Uma narina, uma sobrancelha, uma curva de pescoço, um rastro de asa. Mais tarde, olhando meu filho adormecido, muitas vezes pensei nesses desenhos.

— Por que a senhora desenha esses anjos lindos e só pinta monstros?

Ela nem se deu ao trabalho de me olhar. Inclinou-se um pouco, apreciava um detalhe do anão careca:

— Vai ver, não acredito em anjo.

E disse aquilo sem rir. Então para minha tia as coisas também não eram simples: havia sombras, ainda que de anjos. Reais mesmo eram os monstrengos.

Mas não houve muito tempo para refletir nos labirintos de tia Dora: eu estava apaixonada, agora Tiago era a presença que me inundava, me transfigurava muito mais do que meu primo Otávio em nossa aventura adolescente. Eu era uma adulta e Tiago me oferecia uma paixão madura. Avassaladora: um mar nada sinistro, voragem em que se morreria de bom grado.

Tudo em Tiago era saudável, seguro, ordenado. Algo da vitalidade de tia Dora, mas não corrompido pelos desencantos. A coragem ainda não se desgastara.

Os anos com tia Dora, as muitas amizades, as independências, e agora Tiago, faziam a minha vida perfeita. Quando os fantasmas queriam voltar acenando a mão branca de uma solitária moradora do sótão, a figura de uma anã rasgando minhocas, um casal virando poeira sobre o mar, uma menina de cabelo preto e liso despencando na rocha, eu sacudia de mim essas memórias como insetos pegajosos mas inofensivos. Podia apostar tudo na vida.

Finalmente pertencia a alguém, e queria pertencer mais ainda, partilhar tudo: casa, cama, pensamentos, corpo, recantos que até eu ainda estava por descobrir. O casamento seria uma aventura de abismo, de tudo-ou-nada, e eu queria tudo.

— Tive uma avó que ficou doida — contei a Tiago nos primeiros meses de namoro.

O abraço nem afrouxou, o olhar continuava sereno.

— Uma das minhas tias foi anã. Anã e retardada — completei dias depois.

Ele foi percebendo que aquilo me atormentava.

— Toda família tem lá o seu doido, seu suicida, seu desquitado, seu patético. É a vida, Anelise. Mas não é só isso que a vida tem. São acidentes que não vale a pena cultivar. Esqueça, viu? Esqueça isso. Por mim. Eu ouvi falar de sua família, e não ligo a mínima.

Minha gratidão por isso foi inimaginável.

Talvez até a visita ao sótão, há tantos anos, fosse coisa minha. Fantasia de criança, a mulher alta, o cheiro de alfazema. Precisava esquecer, por amor a Tiago.

Eu esquecia. Num beijo esquecia tudo.

Quarta-feira

A cordo, Zico fala esganiçado com a mãe na cozinha, ela ralha por qualquer coisa, o menino foge correndo, pés nus na madeira. Um menino magro de ar divertido, cabelo curto espetado. De todos os filhos, esse é o que mais seguidamente vem ver a mãe no Chalé. O amigo de Bernardo. A risada no jardim. Eu podia ter um filho assim mas o meu seria louro, perfil de anjo como os esboços de tia Dora.

Entro na cozinha, onde Nazaré ainda ralha porque o menino fugiu.

— Deixe ele, Nazaré. Tão alegrinho, eu gosto disso.

Acordar com risadas de criança é bem melhor do que ser arrancada do sono pelas batidas secas de tia Beata na porta, nos tempos do casarão. Um despertador implacável, aqueles ossos dos dedos não perdoavam.

Não há mais tia Beata, só Zico e a caseira, que esta manhã cedinho já viu a veranista no morro, na beira da pedra. Olhou o mar muito tempo, depois sumiu.

— Você ainda não descobriu qual a casa dela? Tinha vontade de saber quem é. Conversar.

Nazaré não sabia mas ia mandar o filho ver, ele descobriria até o nome da fulana. Menino esperto.

Eu ainda achava que era uma pintora, feito tia Dora, mas em vez de monstros carecas ou desgrenhados, essa gostava de paisagem. Com mar, dunas e um chalé antigo.

Tanto eu quis a minha solidão, mas agora tenho vontade de conhecer essa mulher, ser sua amiga. Conhecida ao menos, porque para afeto meu coração não dá mais. Só o afago distraído na cabeça de Zico, no lombo de Bernardo.

Tia Dora seria mais afetuosa com Zico do que eu. Ela devia gostar muito de crianças, para ter adotado Otávio. Não pudera ter os seus próprios. Ou era o risco? Eu não perguntara, estava entretida amando, vivendo, esquecendo. Otávio pouco escrevia, só os cartões que não substituíam a presença antiga. Algumas fotografias: o adolescente que me ensinara a beijar no corredor escuro, corpo querendo entrar, agora um homem. Triste. Pianista num conjunto de *jazz*. Será que, sozinho, ainda tocava aquelas improvisações que fazia para mim, e que eu chamava de "música submarina"? Tocava de olho meio fechado, bonito demais para um homem, tia Beata dizia. Mas para ela o mundo se dividia nos corretos e nos maus, não dava lugar para os dúbios.

Ficamos surpresas quando Otávio escreveu que casara e viria nos visitar. Assim de repente? Nem escrevera sobre namorada ou caso nenhum. Achei tia Dora com ar satisfeito: a família nunca apostara na virilidade daquele fruto alheio.

Foi assim que vi pela primeira vez um casamento se destruindo como um canibal que devora partes do próprio corpo. Não o disfarçado desencanto de tia Dora, que tentara uma porção de vezes; não o súbito apagamento de meus pais; não o teatro patético de Vânia, nem o absurdo de tia Beata, ou o esfacelamento vagaroso que seria o meu um dia: apenas um ato desencontrado e ridículo, que nos deixaria mais unidos do que nunca: tia Dora, Otávio e eu.

Fiquei comovida ao reencontrar meu primo: não esquecera o amor adolescente, embora estivesse apaixonada por Tiago agora. Nos abraçamos, um beijo rápido na face, e havia calor no olhar. Em Mariana parece que só vi a cabeleira: uma labareda, ruiva autêntica, o rosto um pouco dentuço como o de muitas ruivas.

Meu coração apertou-se um pouco: era ela que recebia aqueles beijos, e muito mais, dava tudo o que eu não pudera dar.

Mariana não era muito bonita nem muito jovem, mas me pareceu fascinante. Magra, inquieta, soberana. Tia Dora a odiou ao primeiro olhar. Eu apenas espreitava a mulher que agora tinha abraços bem mais íntimos do que os que Otávio me dera há tanto tempo. Como seria a intimidde deles? Ele estaria feliz? Sempre achavam que meu primo não gostava de mulheres, que era "esquisito". E agora?

Tia Dora aparecia no meu quarto, queria saber o que eu achava da moça, não gostava quando respondia que a achava boazinha. Também não teria gostado se dissesse que a julgava estranha. Preferia que a consolasse de uma dor ainda indefinível, da dúvida sobre a vida daquele único filho.

— Estou achando a mulherzinha um horror — disse tia Dora pouco depois.

— Bobagem — respondi. — O principal é que Otávio se sinta bem com ela. Não vá dar uma de sogra, tia. Ele está tão apaixonado.

E estava, mas nunca parecia à vontade com Mariana; mostrava-se constrangido como um menino diante da primeira namorada. Com o tempo fui entendendo que as preocupações de tia Dora não eram infundadas: Mariana não ligava para o marido, e só Deus sabe que estranho fascínio o prendia tão loucamente a ela.

Ele não me confidenciava nada. Tínhamos muita oportunidade de falar porque Mariana passava o dia no quarto, mas éramos apenas os primos que se amaram quando quase crianças. Otávio estava mais bonito que nunca, amadurecido, e já não me pertencia, nunca pertencera: era de Mariana, a ruiva.

Eu pertencia a Tiago, com quem ia me casar. Otávio fazia brincadeiras sobre meu casamento, ainda sabia rir daquele jeito antigo, tocava piano para mim, mas a velha intimidade só espiava entre as frestas da amizade de agora. Éramos amigos que encaravam um pouco divertidos as experiências ansiosas de outros tempos, quando fugíamos à vigilância de tia Beata.

Comecei a notar que ele não sabia bem o que fazer com sua mulher. Uma esposinha estranha. Não ligava para o marido, dormia a maior parte do tempo, andava desalinhada, cigarro na boca, olho espremido por causa da fumaça, ficava feia. Dizia sentir-se mal aqui, o clima hostil depois de tantos anos de ausência. Muito quente. Muito úmido. Muito barulhento. Tudo meio sujo.

À noite, porém, quando nossos amigos chegavam, ela desabrochava. Punha uma roupa sumária, arrumava o cabelo, assumia um ar provocante, flertava com meio mundo, até com Tiago, o que me enfurecia. Ele apenas ria, chamava-a de bobinha. Otávio via tudo, fingia ignorar. No canto da sala tocava piano baixinho, olhos semicerrados. Bonito demais para um homem. Tímido e sensual como na adolescência, mas perdido ao lado de uma bruxa vermelha que me parecia cada vez mais uma criatura vulgar e má.

Tia Dora queixava-se com frequência, preocupada com o filho que andava com ar tão estranho quando devia estar mais feliz. As duas às vezes discutiam, especialmente quando tia Dora reclamava das brigas do casal no quarto, os gritos de Mariana, o ambiente insuportável. Mas a ruiva pressionava o marido, queria voltar para a Europa de qualquer jeito. Lá estavam os amigos, as oportunidades. Aqui a sogra neurastênica, a priminha chata. Ele contemporizava, queria ficar, lá estava sem trabalho, de momento não tinha ânimo para nada. Encolhia-se.

Uma noite fui à cozinha procurar Mariana, que entrara ali para apanhar mais gelo. Deparei com ela e um rapazote atracados junto da pia. Ele lhe baixara o bustiê, e Mariana parecia uma cadelinha histérica, a cabeleira flamejante derramada para trás sobre a torneira. O gelo derretia no balde de cortiça em cima da mesa.

O que teria Otávio visto de especial naquela mulher, que o traía, desprezava, brincava com ele? Por que se prendera em quem não o amava, ele tão terno, delicado? Obscuridades

Fechei a porta, tremendo mais de raiva do que pela cena. Tola e vulgar, uma bruxa ruiva. Tia Dora tinha razão.

Não comentei com ela o que vira; não demorou muito, as brigas entre o casal se tornaram tão frequentes e ruidosas que Otávio depois vinha se desculpar conosco. Não sabia mais o que fazer, a mulher era nervosa, quebrava louça na parede; um dia ele trouxe para tia Dora limpar uma camisa com escarro amarelo. Mariana lhe cuspira.

Quando minha tia veio falar nisso, lágrimas nos olhos, boca tremendo de indignação, contei o que tinha visto na cozinha, e fiquei com pena: de minha tia, de Otávio, de tudo. Ele, cada dia mais sozinho num canto do apartamento, com seu piano e seu mundo no qual ninguém entrava, nem a ruiva.

Depois de uma discussão maior que nos envolveu a todos, semanas mais tarde, Mariana transferiu-se para a casa de uns amigos, de onde voltaria à Europa. Otávio pareceu desatinado, perdido; acabou por ir embora deixando um bilhete que tia Dora trouxe de manhã cedo ao meu quarto, com os olhos vermelhos. Otávio ia atrás da mulher. Paixão de verdade.

— Um dia ele volta, tia. Cai em si, dá um chute nela, vem morar no Brasil de novo. A senhora vai ver.

Mas eu sabia que as coisas para Otávio eram bem mais complicadas. Minha tia encostou-se na parede e chorou: ela sabia também.

Éramos uma família de perdedoras.

•

Talvez o filho de Nazaré tenha me lembrado o rosto de Otávio, o traço delicado que também havia em meu filho. O mesmo dos esboços de anjos de tia Dora. Mas nesta criança brilha uma confiante inocência que já não havia no Otávio que saiu pelo mundo atrás de Mariana.

Após o almoço Nazaré termina o serviço e senta perto de mim, na escadinha. Estou de novo na rede, Bernardo resmunga no sono, não se importa quando impulsiono a rede apoiando o pé na sua cabeça. Amigo fiel.

Nazaré me ronda, insinua, acha que ando sozinha demais, que me deito demais na rede ou na cama, que penso demais. Pensar tanto faz mal. "A senhora puxa demais pelas ideias, isso não faz bem, não." Ela está certa.

Mas esse é um ninho fofo, macio, consolador: deitar-se para sofrer menos, refugiada nas lembranças para não ter que decidir a vida, mergulhar no passado para não enfrentar o futuro. Ou para entender o presente? Tão vazio o meu presente. O conflito, por menor que seja, hoje em dia me desgasta demais. Prefiro vegetar.

Nazaré arrisca:

— A senhora não se sente muito sozinha?

— Sinto. Mas tenho você. O Bernardo. O Zico.

Ela acha graça. Falta-lhe um dente do lado.

— É, tem o seu Bernardo. — O "são" deve soar-lhe sacrílego num cachorro, por isso diz "seu Bernardo" como diz "dona Ana" para mim. Nunca aprendeu direito meu nome.

O mundo dessa mulher de pescador é tão mais rico do que o meu. Real. De bom senso e pretensões humildes, fácil de satisfazer cada desejo. Marido, filhos, casinhola, família grande comprimida naquela vila, até a mãe velhíssima aparece de vez em quando e arrasta-se com Nazaré pela cozinha.

Até mãe Nazaré tem.

— Você é feliz, hein, Nazaré?

Ela deve achar minha pergunta cretina. Sorri, paciente, como se eu fosse uma meninazinha perguntadeira. Por que não havia de ser feliz? O marido com emprego, a pesca boa no inverno, os filhos com saúde. Um pouco duro passar as noites longe deles quando estou no Chalé e ela tem de me fazer companhia, mas é por alguns dias apenas. Digo que pode dormir em casa mas ela não me deixaria sozinha. Também é fiel.

— Você não acha essa vida uma complicação danada, Nazaré?

— Não acho não. Deve ser porque eu não tenho estudo, aí

a gente pensa menos, vai levando como dá. Pensa demais, acaba endoidando.

Cala-se, encabulada: o assunto proibido na família, ela deve saber muita coisa. Sombras encaixotadas, vermes aflitos no sótão, vultos na memória. Tudo o que dizemos: metáfora da mesma coisa.

— Você tem certeza de que o telefone está funcionando?
— desconverso.

Ela tem mas corre para ver de novo, contente por se livrar do súbito constrangimento, a avó louca, a tia anã, e o resto, o resto. A família da cidade nunca foi lá muito certa. Pela janela vejo-a levantar o fone, escutar movendo a cabeça como se falasse com alguém. Faz sinal de que tudo está bem. Mas o que espero que Tiago faça? Que telefone para dizer que tudo foi pesadelo, que ainda nos amamos? Vamos brincar outra vez, irmão e irmã? Escrevi "desejo a separação", mas que bobagem: estamos mais do que separados, há anos. Um homem bom, Tiago aguentou firme esses anos todos com medo de que eu não resistiria sozinha. Dois companheiros da mesma pensão, vizinhos de edifício.

Que casamentos foram esses nossos: o de Catarina inaugurando a cadeia nada secreta que nos ligava tão intimamente.

Vânia fora a única aparentemente predestinada a uma vida normal. Corajosa, independente. Merecia escapar.

Quando meu casamento estava marcado começamos a nos aproximar mais, ela vinha me buscar, comprávamos roupas, combinávamos o vestido, convites, igreja. Estávamos animadas, aquilo nos unia. Talvez minha irmã revivesse o seu tempo de esperança com ardor redobrado, porque sabia que nada fora assim senão os preparativos, o resto fora erosão, erosão certa e implacável.

Mas nisso de vestidos, etiqueta, ornamentação de igreja, festa, ela era perita. Apesar do meu atordoamento, o amor deixando pouco espaço para qualquer outro interesse, notei que minha irmã estava mudada. Nosso convívio fora sempre superficial: eu nem pudera confirmar se os boatos a seu respeito tinham fundamento. Olhando de perto, me debruçando um pouco, via agora as rugas finas, a dobra de sofrimento entre as belas sobrancelhas, o sorriso fixo, o olhar ansioso com algo mexendo no fundo, um bicho em agonia.

Comentei minha preocupação com tia Dora:

— Mas sua irmã vive corneada pelos cantos; como queria que se sentisse? E está amarrada no marido pela maior paixão. Muito mais duro do que uma traiçãozinha aqui e ali, minha filha, é isso: a solidão e a consciência de não ser mais amada. Vânia precisava era de um bom amante.

Achei a observação de tia Dora cínica.

— Ao menos ela se distraía, e se vingava também. Uma vingancinha é bom para a alma.

Tia Dora sabia mais da vida que eu. Vânia não se queixava, eu ainda não sabia daquela promessa exigida, e quando se falava em filhos ela ainda recuava com ar superior:

— Deus me livre. Choradeira, pediatra, jardim de infância, babá. Estou ótima assim.

Nunca se ligara muito em criança, mas tanta indiferença me intrigava. Talvez fosse estéril. Ou o marido. O que é que eu sabia daquele cunhado? Bonitão, rico, insinuante, farrista. Nos víamos raramente, ele era gentil, galanteador. Na verdade, eu não sabia nada. Deixava que Vânia falasse das suas futilidades, do cabeleireiro, das amigas, do joguinho de cartas, da nossa família, até do nosso primo que casara com a ruiva.

Vânia desfilava histórias e mais histórias dos desamores de

suas amigas. Só não tocava na sua. Parecia preocupada com a aparência, e não era para menos, ela perto dos trinta, o marido levando para a cama meninotas de quinze. Mas ainda era bonita, mais que antes, o sofrimento disfarçado lhe dava um ar distante, desejável, os homens deviam ser doidos por ela. Quem sabe a ideia de tia Dora não era tão ruim?

— Acho que vou precisar de plástica quando fizer trinta anos.

— Que bobagem. Esse pingo de ruga dá charme.

Ela olha no espelho, sorri como as capas de revista aprendem a sorrir, sem fazer ruga.

Mas eu sei que, se começar a operar agora não para mais, porque tem essa aflição de espírito, esse desespero. Em mais dez anos estará com a cara repuxada e inexpressiva das bonecas de porcelana.

Vânia nunca me faz confidências. Interessa-se por mim, o que nunca aconteceu antes, fala, ri, passeamos, fazemos compras, mas não penetro no seu quarto secreto. Antes dele há um corredor comprido, escuro, prantos escondidos. Todo mundo com medo. Ela não terá alguém com quem trocar segredos, desabafar? Mulheres muito sozinhas confidenciam com as empregadas. Quem sabe a copeira, a cozinheira. Catarina tinha a mocinha que aplicava injeções e massagens: estaria mais lúcida do que a família pensava, capaz de expor seu interior confuso a outra pessoa, alguém que não a magoasse?

Tinha vontade de perguntar a minha irmã sobre a sua verdadeira vida: Vânia, como é seu casamento? Tudo que se fala de você, de seu marido, é verdade? Mas não perguntava, tinha medo de que o rosto arrumado se despedaçasse, estilhaços de gente, e nunca mais pudesse se recompor. Deixava-a falar, falar, girando em torno do segredo que a minava: a promessa antes do casamento, nada de filho. O marido, amado-odiado.

Um dia comentamos a separação de uma amiga. Parecia tão bem casada. Vânia deu um riso amargo:

— Tudo fingimento. Na frente dos outros dançam juntinhos, se abraçam. Em casa cada um vira para o seu lado.

A teia sutil, mais óbvia no canto dos olhos e da boca.

A vertical acusadora entre as sobrancelhas. Eu discordava:

— Nem todo casamento tem de acabar assim, Vânia. Tem os que dão certo, ao menos alguns.

Ela pegou a cigarreira, também fumava com cuidado para não enrugar a pele, tal como sorria, cautelosamente.

— Você é otimista, minha filha. Casamento na porta, a gente fica assim. Até que acho bonito. Mas depois que a gente se entregou, acreditou, os homens enjoam, levam para a cama a primeira que aparecer.

Estava tudo declarado: "os homens", aí se incluía meu cunhado. Olho minha irmã, tão bonita. Vânia, penso, eu não queria que a sua vida fosse assim. Mas não digo nada. Vou apanhar uma coca-cola na cozinha, o coração amando essa irmã solitária.

Acreditei que comigo tudo ia dar certo. Um amor maravilhoso, diferente.

Não tive nem coragem de me aproximar de Vânia, acariciar, passar a mão no cabelo. Prefiro deixá-la em paz com a sua verdade. Disfarçamos, olhando meu vestido de noiva.

•

À tardinha subo o morro com Bernardo. Parece que meu coração anda cada vez mais fraco, respiro mal na subida, o cachorro se impacienta um pouco com a minha lentidão. Lá embaixo enxerguei a veranista por alguns minutos, antes de subir, cabeleira voando ao vento forte. Hoje não encontro nem um daqueles lírios. Para quem os levaria? Os esqueletos limpos estão no depósito. O cemitério tem leivas de capim amarelas e mal colocadas em lugar de sepulturas. O muro meio desabado também se foi, só ficou um pedaço feito ruína antiga.

Quando chego no topo a mulher foi embora, vejo-a descendo rapidamente pela outra estrada, a nova. Enxergo apenas o vulto de costas, a roupa branca e comprida. Antiquada. Imagino-a perfumada, outra que vem se consolar na praia? Todo mundo faz retiro, sem a santidade daqueles retiros que tia Beata fazia duas vezes ao ano. Vânia com sua cama de cabeceira de cetim branco, sem amante. Eu, no meu chalé cansado e rangedor. Essa veranista, em cima do morro.

Daqui posso ver bem o Chalé, a forma bizarra, a cor feia, a varanda que o contorna parece uma dobra de pele corroída.

Hoje parecem mentira as semanas de lua de mel que passei ali com Tiago. A explosão da vida que eu continha há mais de vinte anos, a realização do que mal se iniciara com Otávio. Expulsei todo o medo fazendo amor delirantemente. A cozinheira chegava discreta, fazia comida, limpava, sumia. Tiago e eu nus pela casa. Tiago e eu passeando nas dunas na noite quente, tirando a roupa, o amor urgia, depressa, eu quero aqui, quero agora. Excesso de vida que não podia esperar. Eu queria Tiago dentro de mim o tempo todo, a minha mais remota carne tinha de ser dele, o canto mais escondido, o deslumbramento maior.

Nessas horas às vezes pensava em tia Beata: se ela aparecesse ali em cima da duna, ou no canto do quarto, eu nem fecharia as pernas, ia dizer-lhe que isso era o fogo do amor que purifica. A prova de fogo da carne.

Ela não tivera nada disso. Uma vida dura. O amor não conseguido, o sexo não consumado, só então eu avaliava como devia ter sido difícil para ela. As tentativas. As humilhações. O corpo incendiado tendo de retornar à placidez honesta.

Hoje, sentada no capim morno, vendo o Chalé logo ali, entendo tia Bea ainda melhor: aguentar é duro, tia. Como é que a senhora aguentava quando o marido tentava, tentava e não podia? O medo, a ignorância, a vergonha. Viúva e virgem.

Deve ser como um parto, a gente aguenta porque não tem volta, não se pode fingir que não houve casamento, não se pode desfazer o filho, voltar tudo às tranquilas inocências. Não tem volta, a gente vira bicho acuado, tantas vezes me senti assim: um bicho encurralado num canto. Na beiradinha da cama: se alguém agora encostar em mim, desmorono.

Otávio, Tiago, Vânia, todos pareciam pressionados, acuados. Meus olhos deviam ter a mesma expressão nos últimos anos, mas nunca notei. Bem que me mirava no espelho para ver que cara a gente tem quando sofre tanto, mas era sempre o meu rosto. Cada vez achava que devia ter mudado muito, não se podia ficar a mesma depois de tanta coisa, tanta dor. Contudo, era eu.

•

Quando voltei ao emprego depois da lua de mel, o amor era um tal ímpeto que, se fechava os olhos, esquecia os livros, a papelada, os relatórios da Faculdade, e só via Tiago. Esbraseada, fazia amor em pensamento.

— Apaixonada mesmo, hein, Anelise? Nunca vi cara mais iluminada. — Um dia uma colega brinca; e eu estava iluminada: era tudo perfeito.

Por que não morremos num período assim? Antes que tudo comece a esboroar. Nem sei se é no fundo ou na superfície que começa a erosão. A primeira tristeza não partilhada. A primeira solidão em que se vira as costas e, ao voltar, não se encontra mais a presença reconfortante. Apenas outra solidão, de costas. A consciência alerta: está acabando, está acabando. Talvez não ainda o amor, mas a alegria está acabando. O resto vem depois. Todo o cortejo.

E a nossa alegria, quando começou a se esgotar? Não foi por causa da convivência, a gente se amava com os defeitos e tudo.

Um exagero aquele amor, achava minha irmã. E quando um dia confessei a tia Dora que algo murchava, não sabia o quê, ela respondeu, sem dar muita atenção, que era assim mesmo:

— Casamento não é só viver trepando e rindo.

Acho que foi tudo porque eu queria tanto ter um filho. As peças de azar no jogo, as que perdem. Tiago não fazia parte da família diretamente mas entrara no tabuleiro comigo: agora fazia parte do lado mais fraco.

●

Bernardo corre por onde ficava o meu cemitério, depois deita ao meu lado resfolegando como um velho cansado. Esse era para ser o companheiro de Lalo. Crianças gostam de cachorro, e Bernardo, bonachão, havia de ser um amigo e tanto para meu filho.

Também Tiago gostava de criança, sua família era grande, queríamos uma casa cheia de gritos e risadas, diferente dos lugares quietos e sem graça onde eu vivera.

— Uma porção de filhos — dizia Tiago, rindo. — Todos louros como você.

— E alegres como você — eu respondia.

Aceitei encantada o presente que Vânia trouxe da Suíça "para meu futuro sobrinho": o cachorrinho peludo de cara triste. Tiago achou loucura um são-bernardo num apartamento, ia ficar enorme. Mas eu quis tanto, que ele concordou, e nos divertíamos também, brincando com o cachorrinho. O companheiro para mais um filho que eu estava esperando: um bebê sadio e bonito. Alegre.

A história vinha de longe. Todo mundo queria ter filho, mas em mim isso foi mais que um sentimento natural. Depois das tempestades da paixão comecei a sentir falta de uma criança junto de Tiago e de mim. E, sem notar quase, também iniciei um jogo de esconde-esconde com meus antigos medos. Como costumavam ser as crianças na nossa família? A avó, louca. A tia, anã. Bila era uma criança da nossa família. Os abortos de Catarina. Minha mãe esquiva. Tia Bea, ressequida. Por que tia Dora não quisera filho? Medo de que aparecesse outra Bila, outra Catarina?

Eu lembrava a promessa que Vânia fizera ao marido: casar, sim. Filho, nunca. Havia árvore doente: Vânia e eu parecíamos frutos normais, inteiras, sadias. Verdade que havia coisas sutis: a desgraça macia traidora, de mãos dadas com a gente, companheira incansável, tudo dava errado. Comigo ainda não dera; eu tinha sorte, tinha marido, trabalho, corpo forte.

Empurrava os fantasmas para o canto, pensava em ter os filhos, muitos, e então poderia botar a língua para todas as tristezas novas e antigas: teria vencido.

A felicidade dos primeiros tempos de casados me fizera achar que o mal sumira como aquelas flores do campo, bolinhas de plumas de seda, a gente sopra e somem no ar. Dente-de-leão.

Foi aí que tive o meu primeiro aborto. Dor, repouso, hemorragia, pedaço de carne vermelho-escura na mão do médico. Chorei muito porque queria estar na ala da maternidade do hospital — só que a criança deveria ter esperado mais seis meses.

O consolo foi rápido: metade das minhas amigas perdera o primeiro filho, um aborto era mais que natural. Esperamos um pouco para nova gravidez; ansiava para provar a mim mesma e a todos que fora um acidente sem importância, que era capaz de ter muitos filhos bonitos e saudáveis. Todo mundo ou quase todo mundo perde o primeiro, me diziam. Mas meus filhos também estavam ansiosos: não conseguiam aguardar o tempo necessário. Não fosse assim, haveria um bando de crianças correndo com Bernardo e Zico no jardim do Chalé ou no lugar do velho cemitério. Correndo como Zico sai neste momento em disparada para a praia, lá embaixo; feito um bonequinho de pernas ágeis. Salta o portão e se vai. Desejo intensamente que ele corra o bastante para escapar de qualquer lance mau.

•

Não tenho vontade de jantar. Garganta trancada, meu filme vai chegando na parte que não quero lembrar, mas preciso. Como se começa a desacreditar: eu apostara na vida, meu casamento era feliz, a timidez de criança mudara para uma vitalidade da qual nunca me sentira capaz.

Nazaré se preocupa comigo, estou comendo pouco. Minha mãe nunca ligava para isso, mas tia Beata ficava me controlando quando nos visitava:

— Coma, menina. Não sonhe diante do prato. Alta assim e magrela, vai ficar horrível.

Vânia teria respondido que ela é que era magrela, mas eu baixava a cabeça, engolia a raiva. Nazaré hoje deve pensar que magra assim pareço mais velha, mal quarenta e tantos fios brancos, o louro disfarça, mas olhando bem se veem as raízes. Pintar o cabelo para quem, para quê?

Como apenas uma maçã ácida, deito na rede à espera de que o último clarão do dia ilumine a ponte do rochedo de onde Adélia tombou. Mas não teria mesmo chamado por ninguém, nem por mim? Sua alma de menina deve andar por aqui, vagando em busca da sepultura.

Posso ver a queda, a boca entreaberta na ânsia de, quem sabe, alcançar uma flor cobiçada, o cabelo de índia tapando um olho, o vento mais forte, a voragem lá embaixo.

A boca aberta era a preparação do grito que não houve, dizem que não houve. Um dia me falaram num afogado que tiraram das águas, camarões aninhados nas órbitas roídas, um siri saindo da boca. A boca pálida de Adélia, na qual também não se depôs um último beijo, como na canção de minha mãe. "Den bleichen Mund."

Vejo Adélia postada naquela rocha que avança um pouco, uma menina cheia de vida, abrindo os braços para a morte: sou imortal!

Talvez ela tivesse querido tirar a prova. Nunca saberemos.

Quinta-feira

Noite de pesadelos: uma anã de trança escava numa sepultura, retira ossos, desmonta esqueletos. Um fêmur pequeno e branco. Vermes verdes, bichos-da-seda. Era uma caixa de sapato ou um caixãozinho de criança?

Sonho que estou cheia daqueles nojentos vermes pelados, grudam em mim as perninhas inquietas, viram as cabeças aflitas, querem entrar na minha boca, em todos os meus orifícios.

O medo é tão grande que afoga o grito, acordo molhada de suor, apenas a voz do mar é consoladoramente familiar.

No cochilo que segue percebo meio atordoada alguém chamando meu nome. Não é sonho, não é o mar. Alguém realmente chama por mim, ladainha monótona. Catarina não faria isso. Mas falam, escandindo as sílabas:

— A-ne-li-se! A-ne-li-se!

Voz de mulher. Adélia? Levanto da cama, continua a alucinação. Levo um instante para descobrir que a caseira está lidando na cozinha enquanto repete meu nome feito uma litania. Outro dia ensinei que não sou "dona Ana", mas "Anelise". Faço-a repetir o nome várias vezes.

— Complicado. Nome de alemão é difícil. — Mas aprendeu muito bem.

Forço para engolir o café doce e quente. O corpo tenso, a alma estrangulada, só como de teimosa Quando vinham mendigos à nossa casa, às vezes uns menininhos magros como Zico, mas trapentos, papai dizia que viviam só de teimosos.

Acho que agora estou assim. Um corpo com memória, feito sótão cheio de moradores esquisitos. Ossadas, flores, cartas, horas de amor, delírio e morte. E a esperança, bruxa fantasiada de anjo da guarda companheira e traidora.

O café esfria à minha frente, a dor incendeia aqui dentro. Então eu queria filhos. Por que não havia de tê-los, se a caseira Nazaré, pobre e ignorante, sem bons médicos, sem muitos cuidados, tem mais de meia dúzia?

Tive uma segunda gravidez, uma terceira. Nenhuma vez ocupei a ala da maternidade: só frutos malogrados. A cada decepção o medo crescendo com a teimosia: eu tentava outra vez. Devia ter desistido, tia Dora e Vânia chegaram a sugerir, podíamos adotar um e viver bem, tanta gente fazia isso. Mas para mim era a negação da vida, era a afirmação da minha incapacidade. Tiago não procurava influir: foi meu amigo mais que amante nesses anos. Me animava, disfarçava seus sentimentos, imagino hoje que tenha querido mil vezes me falar em desistir, em adotar, em sermos sensatos. Mas eu o teria odiado por isso, sabendo que ele estava com a razão.

Ou isso teria conseguido salvar nosso casamento?

Nessa altura o jogo começou a se corromper. A cada gravidez, o medo maior e a esperança mais louca. Todo cuidado é pouco, diziam os médicos, já consultara uma porção. Como nenhum encontrara nada de físico que justificasse os abortos repetidos, passava de um para outro, desacreditando de todos. Vivia inquieta, desconfiada. Depois do aborto, repouso. Na gravidez, repouso. Nos intervalos, medo de engravidar. Acho que aí me habituei a viver deitada. Medo, cama, poltrona, sofá, os frutos pecos, duendezinhos dentro de mim. Nada de anjos.

Não sobrava tempo para Tiago, nem calor. A paixão dos primeiros anos se apagara, nos períodos de gravidez não podia fazer amor, se pudesse teria medo demais de qualquer jeito: e se Tiago matasse a criança na minha barriga?

Quando queria engravidar podia amar à vontade, mas ficava hirta, gelada, implorando: por favor, meu Deus, este filho tem de ser perfeito, tem de nascer, tem de dar certo.

Um patético fingimento de amor. Tiago se afastava depois, quieto e sombrio. Estávamos apenas inaugurando uma nova morte, eu pensava, para que alegria?

O quarto aborto foi de sétimo mês, eu nunca chegara tão longe, estava doida de aflição. Mandei fazer roupinhas, preparar o berço, quase briguei com tia Dora quando aconselhou esperar mais um pouco. Achei que estava agourando.

Andava sempre de licença no trabalho, Tiago mudara-se em definitivo para o outro quarto. Vivi só para esse filho. Minha luta com as raízes doentes, tinha de haver um inimigo para ser vencido. Bila, Catarina. Já nem achava estranho Tiago e eu dormirmos separados, pensava até que, acabado o antigo amor, para ele seria mais fácil. A proximidade, apesar da distância anterior, podia despertar desejos que eu não atenderia de modo algum, não deixaria que ninguém violentasse aquela esperança. E Tiago não pareceu aborrecer-se. Tornara-se um homem quieto naqueles anos, sem a exuberância que tanto me encantara um dia. Era gentil comigo, nada mais. Tratava-me com o carinho leve, um pouco distraído, com que se afaga a cabeça de uma criança doente.

Homem algum podia, por mais que me amasse, compreender a frustração, a dor da maternidade frustrada, o peso daqueles filhinhos mortos sobre a minha alma. E isso nos separou definitivamente. Eu queria que ele sofresse comigo, igual a mim. Pedia o impossível, por isso o perdi.

Certa manhã quando ele saiu senti uma punhalada no ventre. Outra e mais outra, suor frio, vontade de ir ao banheiro. O corpo dobrado em dois, percebi que expulsava o filho como um objeto estranho, um intruso. Mais uma dor, longa e agoniada, e a criança caiu no vaso de cabeça para baixo sem que eu pudesse evitar, meu corpo não me obedecia. Eu me sentia morrer, estava me esvaindo de mim com todo aquele sangue. A empregada acorreu aos meus gritos, mãos rápidas e seguras agarraram o feto ensanguentado, enrolaram numa toalha, seguraram-no grotescamente enquanto eu me arrastava para a cama.

Fiquei ali, encolhida, cheia de horror, gemendo. Não tinha coragem de olhar a coisa que jazia ao meu lado, ainda presa a mim, enrolada na toalha empapada de sangue. Desejei que aquele sangue continuasse a correr de mim, e com ele o resto de vida, e tudo acabasse logo

Desistimos de ter filhos. Não se falava mais no assunto, o silêncio estendia-se, ocupava todos os cantos, espiava em todas as palavras, um silêncio que falava alto, que gritava. Passei um bom tempo fraca e desanimada, encapsulada num devaneio dolorido. E agora?

Tia Dora me ajudou muito, até Vânia me fez companhia, de repente achei mesmo que ela tirara a máscara de superficialidade. A dor nos fazia irmãs. Para me distrair dos meus dramas punha-se a falar dos seus. Foi assim que fiquei sabendo da promessa que o marido exigira antes de casar: nada de filhos, ele não podia arriscar, com aquela família, a tia anã, a avó doida. O casamento começara a desmoronar ali: ninguém se prende pela vida toda numa criatura desanimada e insatisfeita. Se o marido a amasse, não teria exigido a promessa. Se não a amava bastante, claro que dormiria com outras. Mas por que ela continuava a morrer de paixão?

Nem eu sabia. Ninguém sabia. Vânia falava, eu ouvia. Uma tarde, lembro que desatou a chorar, não se importou com as rugas, a idade que fosse para o diabo. Ajoelhada junto da minha cama de casal torcia as mãos, lágrimas grossas, explodia finalmente :

— Eu ainda tenho direito de amar, preciso ser amada. Mas não posso ficar procurando casos por aí, se gosto daquele desgraçado. Você já viu coisa mais absurda? — Ria no meio dos soluços. — Acho que estou ficando louca.

Outro beco sem saída. O mergulho na futilidade para não desesperar. Abraçava a solidão como se fosse um amante: não havia outro jeito.

Ficamos mais próximas do que nunca. Já não éramos a mocinha atrevida e a boboca, mas duas da legião. As perdedoras. Isso irmanava mais que o sangue.

Tia Dora começou a dizer que Otávio escrevia sobre uma possível volta, desistira da ruiva. Minha tia se comovia lembrando:

— Você recorda os bichos-da-seda que ele criava escondido no sótão da Beatriz?

Eu lembrava, lembrava outras coisas que ela não sabia. Corredores escuros, corpos palpitantes, salivas misturadas, ardores. Tudo tão longe, parece mentira que tenha existido, que o amor de Tiago tenha existido, que eu existia ainda. Oca, esvaziada.

as parceiras

Mas era jovem naquele tempo, e viciada no jogo de viver. Logo uma inquietação bem conhecida começava a acenar de longe, dava cambalhotas, botava a língua, chamava:

— Olhe aqui, chorona, ainda existo, a vida, lembra?

Se não podia ter filhos, ao menos tinha amigos, marido, minha irmã, tia Dora. Quem sabe podíamos retomar a velha paixão, Tiago e eu? De noite eu chorava, ele vinha partilhar da minha cama, me consolava, me abraçava como um irmão. Se me libertasse da ideia fixa, quem sabe debaixo de tanta cinza restasse amor a ser reacendido. Ao menos um sopro que avivasse a chama.

Aos poucos recuperei a energia. Estava com mais de trinta anos, passara a vida querendo provar o que não fazia sentido. Agora iria recomeçar diferente; ainda que no início fosse fingimento, no fim tudo podia virar verdade. A gente não pode inventar a verdade? Pois eu queria viver como toda gente, parar de remexer nos baús. E podíamos viajar, esse disfarce era tão comum, não se pode fugir por dentro, mas se anda de trem, de avião, a pé. E peguei o costume de caminhar, andava pelas ruas, quase não usava carro. Fugindo ou procurando, não importava: o principal era andar, andar, olhar vitrines, ver caras de pessoas, respirar fundo.

Tiago e eu viajamos, depois recomecei a trabalhar, pedi novo setor, novas colegas, tudo novo.

Era só a superfície, mas não complicava as coisas, no fundo o rio de águas sujas deslizava, eu fingia nem notar. Só quando Tiago dormia, ficava escutando o rumor, o rumor.

Fazíamos amor uma e outra vez, mas sabíamos que não havia mais amor. Tiago devia ter amantes, quem sabe uma amante que lhe desse o esplendor que existira comigo outrora. Outrora. Nossos encontros agora eram tão raros e sem graça, que às vezes eu tentava lembrar: quando foi a última vez? E não lembrava.

Quando já me acostumara a essa vida fácil, quando até já conseguia olhar as crianças de minhas amigas sem nenhuma amargura, engravidei pela quinta vez.

•

Sacudo a dor como se tira dos ombros o vestido que gruda no corpo. Se pudesse sair assim do casulo. Levanto da rede, nem sei se lembrava, ou se dormi. A manhã passou quase toda gastando rolos de meu filme interior. Não vi a mulher no morro. Não dei atenção para Bernardo. Quando Nazaré pergunta se pode servir o almoço, digo que não quero almoço. Ignoro seus protestos, pego outra maçã ácida, chamo o cachorro, vamos subir, Bernardo, vamos passear?

Com o sumo queimando a garganta, subo correndo, correndo, até me atordoar de vento e maresia. Deito no capim pensando que queria morrer. Queria morrer.

•

Escurecia quando Bernardo e eu descemos outra vez. Afinal, tenho um companheiro: é um cão, mas me reconforta porque exige pouco. Não comenta nada, não vê fantasmas, não sabe de sofrimentos. Não me acha esquisita, nem disfarça para fazer de conta que não percebe que estou envelhecida demais para a minha idade.

Na descida achei um daqueles lírios, fui esmagando as pétalas como Bila esmagava as suas minhocas. Uma carnezinha gosmenta de sangue aguado pegava-se na minha mão. Joguei fora o resto.

Na hora do jantar o telefone toca, soa estranhamente no Chalé, e nem era Tiago pedindo para brincarmos mais um pouco de irmãozinho e irmãzinha. João e Maria perdidos na floresta, e sempre a velha bruxa. Duas até. A voz desolada no telefone, desculpe, engano. Claro que desculpava, meu marido não tem mesmo o que dizer, deve estar esperando há muitos anos que eu tenha a decência de pedir o desquite, amigos não partilham a mesma cama, amigos não fazem filho. Desculpo a voz, desculpo tudo.

Minha avó vomitava quando o marido saía de cima dela. Eu tenho vontade de vomitar de mim mesma. Sumo ácido de maçã, ou de morte? Retenho tudo em mim para que doa mais.

Quando me deito, Nazaré cantarola na cozinha. Antes que eu adormeça, vozes e ruídos fora de casa. Espio pela fresta da veneziana: um vulto alongado junto da sebe. Apenas meia escuridão, por causa da lua. Alguém, deitado no capim, geme parecendo sofrer.

Firmo os olhos: duas pessoas fazem amor no meu jardim. Ânsia, penetração, delírio, sons abafados. Então ainda se faz amor no meu tabuleiro. Quando volto para a cama, lembro por um momento Tiago e eu correndo nas dunas. O amor urgentíssimo, aqui, agora, mais cada vez mais. Hoje estou tão murcha que a cena do jardim não me excita, não me interessa, não desperta em mim mais do que leve incredulidade. Sexo sem alegria não funciona: ainda assim, engravidei de Lalo.

Dois amigos partilhavam de novo a mesma cama: algo do antigo fogo devia ter ficado, acordando quando nem se esperava mais. Ou procurávamos atar as duas solidões, para que fossem menos doloridas? Gestos poucos e tristes. As bocas pálidas, secas. Nosso convívio, uma tábua frágil sobre as águas.

Engravidei. Não podia, mas ia deitar novo fruto. Uma árvore apenas meio-estéril, porque o fruto vinha, mas cedo demais, chocho, encolhido, morto. E agora?

Todos me animavam como se fosse a primeira gravidez. Os médicos tinham concluído que não havia nada de físico, meu corpo era perfeito. Um deles arriscou que podia ser rejeição, mas quase lhe bati na cara: mais que tudo no mundo, eu queria um filho. Tinha medo, sim, mas o medo expulsaria as crianças do meu corpo cedo demais?

Absurdo. Portanto, todos fingimos que aquela era uma primeira gravidez: fingíamos sem alegria. Éramos corteses. Não pensar, não pensar. Família e amigos sentavam do meu lado, afagavam minha mão, contavam banalidades, comentavam a minha boa saúde, enquanto eu permanecia tensa, solitária e miserável.

Quando a criança se mexia em mim, fechava os olhos, pedia: por favor, meu filho, aguente até o fim, nasça, nasça perfeito, dessa vez tem de dar certo.

Gravidez excelente. Nenhuma ameaça de aborto; eu podia sair de casa desde que não me cansasse, meu corpo estava tão bem quanto minha alma estava encolhida e apavorada. Fizera um sótão para mim mesma, com traves, madeirames, tijolos tirados das escuridões desde a minha infância. Ali moravam as mulheres da minha família; meus mortos; um adolescente que criava bichos-da-seda, suspeito de não ser muito viril, mas que me ensinara a beijar e a vibrar no corredor sombrio; pedaços de gente perdida no mar, nas pedras, fragmentos, alusões, esboços de anjos ou de monstros. Bila. Vozes na sombra.

•

O parto foi difícil: eu estava tão rígida, me sentia tão acuada, não se podia desfazer filho? Não podia. Tiveram de me anestesiar no fim, mas acordei numa calmaria embotada e feliz: meu filho nascera. Perfeito? Perfeito, disseram. Um menino graúdo e bonito. Lauro, meu filho. Afinal nascera um homem nessa família de mulheres, e eu vencera, a vida vencera.

Eu dormia, acordava, feliz. Os lençóis limpos. As mãos solícitas. Não trouxeram a criança nos dois primeiros dias, ficou na incubadeira, mas disseram que era normal, eu sabia de muitos casos assim. Era bonito e sadio: só isso importava.

Quando o vi pela primeira vez, chorei de alegria: penugem loura, cílios tênues, um dos anjos de tia Dora. Mamava calmo, chorava pouco, dormia muito. Não ia dar trabalho. E Tiago parecia comovido.

— Vai ser bonzinho — disse tia Dora com aquele jeito rude. — Assim ao menos você não fica me chamando a toda hora para cuidar dele, e posso trabalhar em paz. — Ela também parecia comovida.

Lalo era mesmo bonzinho. Nunca choraria alto, não haveria de correr e cair, de levar tombos com o triciclo, de gritar por mim nos cantos do apartamento. Não aprenderia nomes feios, nem seria reprovado na escola.

Um acidente na hora do parto: havia até estatísticas, um em cem, um em mil, o que importava? Levaram tempo para me contar. Só quando minhas suspeitas se transformaram em pavor, o médico me disse o que tia Dora, Tiago e Vânia sabiam desde o começo. O quinto filho apenas cumpriria o prazo necessário de nove meses, conforme eu tanto pedira. No resto, pouco diferia dos enterrados sem rosto e sem nome. Lesão cerebral, acidente de percurso, havia até estatística, repetiram. Nada de errado com você, o médico assegurou, mexendo-se na poltrona. Comecei a rir feito louca, ria feito histérica, como as mulheres dos filmes: nada de errado comigo.

— Pouco mais que um vegetal — continuou o médico. — Não vai lhe dar muito trabalho. Apenas manter limpo, alimentado. Controle do neurologista, do pediatra.

E havia a sobrevida também: bela palavra. Todos têm sobrevida, além da hora fatal a gente aguenta ainda um ano, dois, quarenta. A trégua entre a ferida e a morte. Não sobrava muito para meu filho, Lauro. Talvez dois anos.

Entendi mais tarde que era um prazo bondoso, não teríamos de ver nosso vegetal adolescente estirado na cama, raramente abrindo os olhos. Azuis. Então a traidora não era só a morte: era a vida também, a parceira, a outra bruxa soprando velas na noite.

Agora eu tinha o filho tão desejado. Bonito e bonzinho, Tiago e eu tínhamos brincado sobre a minha provável atrapalhação com um bebê quase aos quarenta. Mas não havia motivo de receio: podia deixar Lalo sozinho no meio da cama de casal. Ele nunca rolaria para baixo. O que se precisava fazer era suster o próprio coração, para que não rebentasse de dor. Encolher-se o tempo todo, para não cair aos pedaços. Assim, era possível aguentar.

Naquele tempo, mais que nunca, me senti próxima de minha avó: também Catarina tivera uma realidade insuportável a enfrentar, e assumira aquilo a seu modo. Algo não integrável na vida da gente, precisava ser encasulado com teias e mais teias, dessas que os vermes de Otávio produziam no sótão, retorcidos e eficientes enquanto nas traves as aranhas fabricavam as suas. Seres silenciosos, nunca havia trégua, nunca se podia parar senão o inenarrável brotava, punha de fora um dedo ameaçador.

Não me tranquei num sótão porque não havia nenhum no apartamento, e porque não podia deixar meu filho: teria de levá-lo junto, e tudo continuaria na mesma. Meu sótão era eu mesma: quase não saía de casa, não me afastava da cama de Lalo. Não comentava sua doença com ninguém, procurava não ter de mostrá-lo a nenhuma amiga; a princípio elas vinham condoídas, mas meu mutismo acabou afastando quase todas.

Mesmo com Vânia e tia Dora, quando tinha de falar inventava outros assuntos ou ficava em silêncio enquanto discorriam sobre banalidades. Tia Dora falava em seus quadros, as exposições, seus amigos, e o filho distante que estava para voltar. Vânia, em sua agitada vida social. Haveria nos olhos dela uma animação maior, quase uma alegria de viver que antes estivera apagada? Muitas vezes pensei que agora ela agradecia ao marido a promessa exigida. Livrara-a de ter junto de si uma Bila, um Lalo. Quem sabe até se reconciliara com o marido; envelheceriam juntos, confortados.

Em certos momentos cheguei a desejar que Tiago tivesse tido a mesma ideia, mas eu não teria me deixado convencer. Não haveria promessa alguma, eu queria aquela prova, precisava dela. A prova estava estendida ao lado da minha cama.

Nem com Tiago comentava o estado de Lalo. Fingia que tudo era natural, sabíamos que era terrível mas não se falava nisso. Na verdade conversávamos tão pouco, já nem sabíamos o que era mais sinistro: palavras ou silêncios. As palavras ocas, falsas. Os silêncios invadindo o quarto como insetos daninhos, roendo mais ainda a nossa convivência, deixando apenas os ossos limpos.

Era mais fácil o isolamento. Tiago que arranjasse sua vida, se consolasse; bem que ele devia se consolar, não havia mais nenhum fingimento de carinho. Eu tinha meu filho: os cabelos louros que se enroscavam no meu dedo: não teria outras carícias.

Tiago não me censurava por negligenciar nossa vida doméstica: uma boa empregada era tão mais útil do que eu quanto uma boa amante. Pensava nisso sem nenhum cinismo. Apenas, estava cansada.

Tão cansada quanto hoje, deitada no escuro a imaginar se os dois que fizeram amor junto à minha sebe foram embora. Não há mais ruídos senão os do mar. Talvez alguém me chame: Anelise. Anelise!

É tarde da noite; de repente, tenho a impressão de que a veranista deve estar postada no seu rochedo, e desta vez não olha o mar. É para mim que olha, para esta casa velha, olhos perfurando as madeiras, examinando esta companheira de solidão que não consegue dormir.

De que estará tentando se livrar? Ou o que espera encontrar ali em cima?

Sexta-feira

Acordo com agitação na casa. Parece que dormi apenas minutos. Vozes, correria, claridade cinzenta. Madrugada. Medo: Adélia morreu. Mas isso faz muito tempo. Espero a lucidez que demora a vir, tomei dois comprimidos para dormir, tive medo, a sensação de estar sendo espreitada pela mulher do morro me dera medo. Saio do quarto estonteada, seguro no umbral para não cair. Na sala e na cozinha gente que não conheço, Nazaré está rodeada de mulheres que a amparam, falam alto ao mesmo tempo, ela chora aos gritos. Terá enlouquecido?

Alguém me segura, me diz que o filho dela, aquele de nove anos que sempre vinha ao Chalé, foi violentado esta noite por uns rapazes, veranistas jovens que fugiram de carro e o deixaram meio morto nas dunas. Um pescador encontrou-o quando amanhecia. Onde eu ouvira uma história assim, de um pescador encontrando um morto?

— Estava judiado, rasgado, costuraram ele todo no hospital. Uns animais — comentam perto de mim. Não entendo direito, estou zonza, todo mundo fala numa confusão. Todo costurado. Uns animais. Só aí começo a compreender o que fizeram com Zico, tem de ter sido Zico. O menino magricela.

A náusea se arrasta pela minha garganta como um grande verme que morasse no meu estômago. No coração. Alguém traz água, luto para não desmaiar. Você era feliz, Nazaré? Sem complicação?

Levam-na para ver o filho no hospital, a casa se acalma. Me arrasto até o banheiro, vomito violentamente minha dor, minha revolta, água amarga e todo o lixo da vida.

Nem assim consigo ficar deitada: tenho a sensação de que a qualquer momento vou ser violentada também. Uma vez assisti com Tiago a um filme em que a donzela medieval, rosto infantil e louro, era violada no mato por dois vagabundos. A cena crua, a brutalidade dos homens e a pureza da adolescente me abalaram tanto que por vários dias não deixei Tiago tocar em mim, ele ria, dizia que eu já não era donzelinha, de que estava com medo? No fim rimos juntos, e tudo passou; isso foi no tempo em que ainda ríamos e fazíamos amor, e as dores passavam com beijos.

O menino profanado nas dunas, na escuridão. Animais Ando pela casa inquieta, penso em Nazaré, lembro como me sentia em relação a Lalo: uma fêmea enlouquecida defendendo a cria machucada. Ao menos, Lalo não tinha consciência de nada. Mas Zico... E eu nem ao menos sei qual é o seu nome. Falamos poucas vezes, escutava suas risadas quando ele corria no jardim com Bernardo e Nazaré ralhava.

Na varanda deito na rede e respiro fundo, controlando o enjoo. Estou prenhe de horror. Bernardo também está inquieto com a confusão da madrugada, não tem mais amiguinho pra você, cachorrão. Vai ter de se resignar comigo.

Mais tarde chega uma mulher que conheço vagamente: parenta de Nazaré, vai fazer o serviço para mim enquanto a outra estiver com o filho. E o menino? Passando mal.

A mulher não é simpática. Talvez esteja apenas amargurada pelo que aconteceu à criança. Seu olhar se esquiva, olha para o lado como se minha visão a repugnasse. Eu também sou veranista da cidade, desses que trazem dinheiro, confusão e males.

Ela prepara o suco de laranja que peço: aguado. Nazaré vai me fazer falta, trabalhava com alegria, mas hoje, quem pode ter alegria? Bernardo é a única figura familiar perto de mim. Não tem passeio, cachorrão, estou cansada e doente. Alma roída como a cara de um afogado, um siri na boca pálida. E ninguém para me beijar.

Na verdade, o Chalé não passa de uma casa velha e mal cuidada, um dia desses desaba numa tempestade. A cidadezinha pacata está ameaçadora, mesmo nesta hora da manhã: houve uma criança nas dunas, daqui a pouco vai aparecer uma mulher esquisita no morro, aqui dentro eu com meu filme todo descosido.

Passo a manhã concentrada nesse jogo de sombras. Depois do almoço a empregada nova faz cara emburrada porque quase não comi, cada grão de arroz fica entalado na garganta feito cascalho.

Bernardo e eu descemos à praia.

Deito na areia, na parte seca: poeira de gente, quem sabe há fragmentos de pessoas nesses grãos fluidos. Os óculos de meu pai eram de aro escuro. Faço os dedos funcionarem como ampulheta, grãos diminutos escoam. Brancos e amarelos, translúcidos. Alguns, escuros.

Bem que o mar podia subir mais, cada vez mais, tirar do tabuleiro outra peça, esta que só dá azar. Anelise, Anelise. Ficaria na praia apenas o cachorrão fiel, voz grossa e cauda inquieta.

Daqui não posso ver a minha veranista, se estiver lá em

cima e quiser me avistar terá de se debruçar tanto, tanto, que não haverá mais volta.

Debruçar-se como tia Dora, a amiga-inimiga que não compactuava com minha fuga. Inclinava-se sobre minha cama, onde eu me deitava dias e dias ao lado de Lalo:

— Você não pode ficar assim a vida inteira. Esqueceu que tem marido, casa, trabalho? Tem amigos, que sofrem com você. Reaja, Anelise. Saia do quarto, vamos andar um pouco, a empregada toma conta do menino por meia hora.

Mas nem a voz paciente nem o rosto preocupado me dizem respeito. Estou muito melhor afundada em mim mesma. Movimento é dor. Tia Dora, penso, a senhora tem Otávio, seu filho, que anda, fala, come, viaja. Toca piano. Casou com a ruiva, descasou. Vai voltar em breve.

— Não será a vida inteira, tia. O médico falou dois anos de sobrevida, já passou uma boa parte.

Ela sai do quarto, magoada. Não fique triste comigo, tiazinha, este aqui é o meu sótão, estou quieta, não faço mal a ninguém. Me deixem em paz. Eu me virava um pouco, olhava fascinada o rosto de Lalo: caixa de segredos que ninguém desvendava, o que passaria por trás das pálpebras quase sempre baixadas? A companheira de sua alma havia de ser como a de Bila: chegara ao mundo para achar uma lasca de gente. Uma lasca de alma?

●

Quando Otávio apareceu fiquei surpreendida, porque acho que nem ligara para os comentários de minha tia sobre sua vinda. Foi a primeira vez que uma coisa me interessou, desde que descobrira o estado de meu filho. Tia Dora entrou no quarto, avisou que Otávio estava na sala, louco para me ver. A figura do espelho era desanimadora, eu não me interessava por cabelo, pintura de rosto, roupa. Ajeitei-me como pude e fui. Mas, quando nos abraçamos, achei que ele não parecia muito melhor também. Estava magro e triste. Fiz força para não vazar no seu ombro a minha dor e solidão, achei que, se começasse, a torrente não ia parar nunca mais. Ficamos abraçados, sem falar, ele passando a mão no meu cabelo.

Nos primeiros dias não sabíamos bem o que dizer, o que fazer, sentávamos no sofá ou perto de Lalo, de mãos dadas como irmãos. Vida dura, priminho. Coisas bem piores do que fantasmas de um sótão e bichos-da-seda inquietos. Coisas mais sérias do que beijos no corredor escuro. Um jogo de azar, a vida.

Ele foi aos poucos falando de sua experiência amarga com Mariana. E eu sentia que, relatando aquele drama, Otávio queria mencionar outros, mais sutis e cruéis.

Lembrei minha avó e a enfermeira. Lembrei as suspeitas na família, os comentários de tia Beata: bonito demais para um homem. Delicado demais. Sempre no mundo da lua, com seu ar de pianista. Ninguém punha a mão no fogo por ele, dizia Vânia. Dúvidas, vaguidões. Eu não contava a ninguém o que sabia, e era tão pouco, beijos num corredor, abraços na sala escura, há tanto tempo. Talvez Otávio achasse em Mariana cura para a sua perplexidade. Mas eu não queria que se curasse de nada, não havia o que curar, ele era Otávio, alguém muito especial, precisando de um amor especial.

Mariana e sua cara de feiticeira. A única mulher com quem, talvez, ele se sentisse a salvo. Malvada assim, e única? Ou Mariana, sabendo da sua fraqueza, se ria dela, a explorava deixando-o humilhado e cada vez mais preso?

as parceiras

Ele não entrava em detalhes, eu não iria perguntar. Vida sem solução: éramos mesmo parecidos.

— Você não acha que somos? — perguntei um dia.

— Nem pense nisso, Anelise. Você está numa fase ruim, isto passa. Um dia passa, melhora.

Calamos, constrangidos, porque tudo só mudaria quando Lalo morresse, e eu sabia bem que aí, sim, tudo ia acabar.

Foi singular a minha ligação com Otávio nesse tempo: as visitas, as conversas, os silêncios, as mãos entrelaçadas, às vezes eu deitava o rosto no seu ombro, e por uns momentos ele era o pai que de fato eu não tivera. O irmão que não houve. O amigo. O marido fingia de amigo, desempenhava esse papel, direitinho até, depois desistiu, somos todos umas ligações descosidas, assim era comigo e meus pais, com minha irmã, com todo mundo. Seres vagos, menos que anjos. Uns coitados. E agora, apesar da boa vontade de Tiago, da sua paciência, somos apenas duas pessoas cordiais e atenciosas, meio distraídas, que partilham do mesmo apartamento. Quartos separados. Horários diferentes. O filho estendido na cama desuniu ainda mais. Nada em comum, a não ser a espera de que a sobrevida se cumpra, e Tiago poderá assumir vida nova. E eu?

Otávio queria saber o que eu pensava fazer depois. Não era cruel pensar nesse depois?

— Não sei, Anelise, é cruel, mas é verdadeiro. Você está se consumindo, podia ao menos imaginar alguma coisa para fazer. Uma viagem. Trabalho. Você nem lê mais. Não faz nada, só olha a criança, deita na cama, sonha, finge dormir. Nem com minha mãe conversa direito, nem com Vânia.

— Para ser sincera, Otávio, tudo isso não me interessa. Não interessa mesmo, sabe como é? Eu é que fui a boba, a louca: acreditei na vida, apostei mil vezes, perdi em todas, e quando não esperava mais nada, veio essa gravidez, esse filho. Esse filho!

Afago a cabeça de Lalo, o cabelo se enrosca sempre no meu dedo.

— Você acha que ele sabe que eu existo? — pergunto a Otávio.

Ele não responde. Não há o que responder: não sabemos. Mas no seu olhar semicerrado, a mesma expressão que tinha tantas vezes ao tocar piano, no casarão ou no apartamento de tia Dora: ele também inventa um outro mundo, onde se pode sobreviver.

•

Enquanto eu lembrava Otávio, escureceu. De longe, a voz me chama, essa ao menos sabe dizer meu nome certo, pena ser tão antipática. A sinistra substituta me chama do Chalé, hora do jantar.

Levanto-me, limpo a areia, seco o rosto, chamo Bernardo que está cavando, nada de comer tatuíra, já para cá! Ele vem, obediente.

— Você não sabe de nada, cachorrão. Vida ingrata.

O Chalé está vazio, quase como o cemitério sem mortos. A empregada avisou que o menino de Nazaré melhorou, se ela podia passar a noite com eles no hospital. O dia seguinte também? Claro que pode. Sua carranca já me fazia mal. Prefiro ficar sozinha, ela nem sonha quanta companhia tenho aqui.

Fico até tarde na varanda: o ar está pesado e morno, a maresia tem cheiro mais intenso. Bernardo saiu para a rua mas logo voltará. Penso em ir ao hospital ver Zico amanhã.

as parceiras

Solidária. Mas não quero me envolver com mais ninguém, não vou aguentar, não devia ter deixado que Nazaré ficasse com ele por aqui, não havia mais espaço nenhum no meu coração, nem para a menor simpatia. Talvez por isso tia Beata beijasse assim de longe, abraçasse com os cotovelos em defesa, fosse ranzinza e chata. Não queria mais se envolver, depois do marido que não conseguia fazer amor, três meses de tormentos e depois o tiro, a tampa da cabeça pulando fora, sangue demais, amargura demais, a virgindade total foi como um casulo. Um sótão.

Ela só se envolvera ainda uma vez, com Bila, mas esta não podia retribuir, e assim era mais confortável.

Meu último renascimento, breve, foi com Otávio: a primeira paixão se esvaziara nos anos de separação, nossos casamentos, nossos dramas. Mas quando nos reencontrávamos, alguma coisa daquela chama continuava acesa, e nos ligava. Quando tudo desmoronara na minha vida, ele voltara, quieto, desesperado e só. Segurava minha mão, escutava meu desabafo, passava o braço no meu ombro. Acho que até começamos a nos amar de novo, ou nem foi amor, foi compaixão, foi união na tristeza. Amor sem sexo — talvez existisse. Otávio com seu destino confuso e difícil, com sua condição incerta, acossado pela lembrança de Mariana ou por tormentos não confessados. Eu, com meu corpo encolhido como o da viúva-virgem. Mas penso que nos amamos. Lá no fundo, um perplexo amor-amigo.

Só uma vez ainda nos beijamos na boca: talvez pela consciência do nosso desamparo, pelo desejo impotente de nos ajudarmos. Uma carícia profunda, beijo de amantes que não eram amantes. Há muitos anos ninguém me beijava assim, mesmo quando concebi Lalo o encontro fora rápido e rotineiro. Com Otávio, foi só a troca simbolizada pela das salivas, das mucosas, das dores. Talvez as almas eternas de Adélia.

Por um momento fomos de novo os adolescentes antigos beijando-se na sombra. Sabíamos que era sem futuro, sem remédio. Não mais que um clarão esquivo.

Depois do beijo demorado Otávio afastou-se calmamente, saiu sem se despedir. Voltou dois dias depois, e continuamos como se nada tivesse acontecido. Eu estava esvaziada: apaziguava-me, porém, ver que alguém continuava comigo, e por minha causa, sem qualquer interesse, sem qualquer obrigação, apenas pelo afeto. Uma aliança sem palavras, mais íntima do que se fôssemos juntos para a cama.

Ficávamos de mãos dadas, como antes, às vezes diante dos olhos fechados de Lalo. Pensei no amor dos namorados que fazem pacto de morte: deve ser tudo assim depois da decisão. A grande calma.

•

Lalo morreu uma mortezinha pequena e quieta, alguns poucos dias no hospital, sem estardalhaço. Tiago vinha me ver quando podia. Tia Dora ficou comigo. Vânia e Otávio perguntavam se eu precisava de alguma coisa. Não precisava mais nada.

Na última noite minha tia e eu ficamos no sofá perto da cama da criança. A enfermeira controlava gotas, sondas, cânulas, impessoal como um objeto. De vez em quando eu levantava e ia beijar o rosto de Lalo que já não parecia um anjo, mas um velhinho mirrado e sofrido.

Com a morte espreitando, tia Dora e eu passamos a madrugada conversando baixinho. Ela envelhecera bastante, o encanto permanecia mas havia muita sombra. Uma sessentona grisalha e sozinha. O filho nem era filho de verdade, e sua vida estava toda desordenada. Com seu olho experiente, há muito tia Dora devia ter percebido que, embora não sendo da família, Otávio era outra peça de azar.

Falamos em Vânia, que parecia melhor, eu a lembrava ajoelhada na minha cama, dizendo que tinha direito de amar, de ser amada. Talvez ela tenha entendido que isso não é tudo. Desamada, mas sem um filho como Lalo, era mais feliz que eu. Sempre fora a de mais sorte. Falamos de meus pais, minha mãe tão etérea, a mais parecida com Catarina, protegida por meu pai, que com isso quase ignorara as filhas.

Falamos em tia Beata, a que não conseguia amar. Tia Dora disse que ela nunca fora alegre, nem quando menina, e o casamento trágico a corroera de vez.

Uma família triste e patética, todo mundo querendo sobrenadar — mas, e as águas? Teatro de sombras, incógnito. O sótão.

Falamos também em minha avó, pedi a tia Dora que me contasse mais uma vez sobre a morte de Catarina. O salto, o voo para o convívio definitivo com suas criaturas de ficção.

Depois do caso com a enfermeira, não dera atenção a mais nada. Pessoas entravam e saíam, as poucas que lidavam com ela. Limpavam o quarto, traziam comida, afagavam o cabelo. Catarina entrara numa dimensão mais afastada ainda, remota. O sótão do sótão, onde não se precisava falar, escrever. Parecia calma, doce até, junto da porta de vidro ou olhando as copas das árvores na sua poltrona predileta.

Todo mundo ficou aliviado: com aquela cena, por desagradável que tivesse sido, a doente parecia ter entrado numa fase melhor, de recesso. Nem suas falas perturbavam mais o sossego da casa. O choque podia ter sido salutar, a Fräulein sempre acreditara que crianças, bichos e doentes precisam ser tratados com certa bondade, mas muito rigor.

Não havia faltado rigor a Catarina von Sassen.

Um dia, porém, sem sinal ou aviso, sem crise ou descompasso, abrira a porta para a sacada, o que nunca fazia. Saíra para a sacada, e jogara-se por cima da balaustrada para o jardim, três andares abaixo. Caída no canteiro, entre flores amassadas e morangos feito manchas de sangue, era uma flor a mais, branca. O corpo quebrado; o rosto intacto, fitando o céu.

Anunciaram a morte como acidental, o enterro de pouco acompanhamento, morte discreta. A doente se debruçara, talvez espiando Bila a catar minhocas no jardim, e acabara caindo.

Na família todos sabiam que não fora acidente. A balaustrada era alta demais para se cair, mesmo alguém da altura de Catarina.

Tia Dora e eu ficamos em silêncio imaginando a queda. As mãos finas agarrando a balaustrada de madeira, o corpo tomando impulso, voando com as roupas compridas abrindo-se num paraquedas insuficiente, o cheiro de alfazema como um rastro.

•

Na tarde seguinte Lalo morreu. Afundou mais no sono, foi-se por uma fresta. Uma frestinha qualquer bastava: era tão pequeno.

No velório, no enterro, Tiago segurou minha mão; contudo eu sabia que, encostado numa parede com ar distante, ou meio escondido atrás de outra sepultura, era Otávio que estava comigo Tocava suas músicas submarinas para mim. Me levava para lembrar os bichos-da-seda no sótão. Me fazia ver que Bila não era tão sinistra como eu achava. Me ensinava a beijar no corredor escuro. Tudo tão longe, amigo Tão inútil.

Pedi a tia Dora que cuidasse das coisas do menino: havia pouco para arrumar e distribuir, algumas roupas, bichinhos de borracha que ele nunca pegara. Não quis guardar coisa alguma: a lembrança era forte bastante.

Não senti desespero, nem protesto, apenas cansaço. Vontade de sumir num buraco escuro, fundo e quieto, sumir, ser devorada por vermes ou espumas, e não voltar a praia nenhuma.

Dormia, pensava, tomava comprimidos e dormia de novo. Semanas depois escrevi a carta a Tiago, com o PS sem nenhum sentido, de que ficaria aqui até domingo, e quando voltasse à cidade queria a separação. Vim para o Chalé, resolver sabe Deus o quê. Pensar, ficar sozinha. Repassar o filme, avaliar o jogo. Tudo acidente ou predestinação? Raízes de Catarina von Sassen, ou acaso da vida? Imaginei algumas vezes que Tiago poderia telefonar, mas, pensando bem — para quê? O amor morto, o coração encolhido, o sexo melancólico. Tudo diminuiu até virar uma casca ressequida. Acabou-se.

•

Antes que eu adormeça cai a tempestade que se preparava. Bernardo ainda não voltou. Onde andará nessa chuva? Deixo a porta só encostada, quando ele vier pode entrar, na certa vai sujar tudo, deve estar enlameado e cheio de carrapichos.

Quando fecho uma veneziana que batia aflita, um vulto passa correndo, meio agachado na ventania, braços erguidos protegendo a cara. Uma mulher, vestido branco tatalando, cabeleira desgrenhada. A doida da minha veranista deve ter estado no morro espiando a chegada do temporal, agora desce nessa corrida louca, perseguida pelos raios.

Depois me deito no abrigo dos lençóis, só as tábuas rangem, a chuva e o mar têm vozes familiares. Se a gente pudesse calar o pensamento, a voz do sótão.

Sábado

A empregada agourenta não veio mesmo. Esquento o café de ontem, tem um gosto horrível. Se continuar assim sem comer, entro em levitação. Mas não acho graça nenhuma da ideia. Como Adélia havia de rir disso, naquele tempo distante! E se fosse afinal ver Zico? Mas tenho de ficar no meu velório particular: uma porção de mortos.

A manhã está tão cintilante que parece de mentira depois da tempestade. Resolvo subir o morro e procurar Bernardo, sinto falta dele, não tenho outra companhia agora.

— Você está demorando dessa vez, amigo. Vai me trair também?

Sujo a bainha da calça no caminho lamacento. Ninguém à vista: nem gente, nem bicho, nem emoção. Mas, se olhar por cima do ombro, sei que verei todo o meu cortejo fiel: os mortos, os loucos, os suicidas, os dúbios e desamparados, os culpados, os solitários. No fim da fila, uma anã de trança rala carrega uma caixa de sapatos.

Chego ao topo, vou até à beirada onde Adélia mostrava sua coragem, de repente fico corajosa também. Nenhuma vertigem. A indiferença é uma forma de libertação?

A pedra está morna e úmida. Cheiro forte de capim e maresia. Nada de Bernardo. E o quadrado de leivas amareladas foi um cemitério.

O mar que amei: fragmentos de pessoas, o último grito de Adélia afogado nas espumas.

Encolho as pernas, abraço os joelhos, encosto a cara no brim áspero da calça. Sei que Otávio está pensando em mim agora mesmo: os pensamentos se encontram, se tocam, se beijam. Uma paixão sem sexo, sem sentido. Sem vida.

Fecho os olhos: quando vou conseguir fechar assim o coração? Me encerrar em mim, como outros nas aparências, na loucura?

Quem sabe faço do Chalé o meu sótão. Uma doida a mais não pesa nessa família. Fico morando aí com Bernardo, ele volta logo. Nazaré vai precisar de trabalho, tem filhos para criar. Nas paredes, vou pendurar uns esboços daquele anjos de tia Dora, guardei alguns, são lindos. Perfeitos. Minha tia pinta monstros depois de desenhar anjos. Mas todo mundo compra as telas, põe na parede, olha: tão verdadeiros, os crânios calvos, as caras descosidas.

— Família de perdedoras, tiazinha.

•

Uma sombra escurece o castanho do fundo das pálpebras. Levanto a cabeça e quase perco o equilíbrio nessa posição precária.

Bem junto de mim, uma mulher. Tem o rosto na sombra, o sol às costas, a cabeleira parece uma auréola. A minha veranista. Companheira de solidão, até que enfim. Quero me levantar, dar a mão, ser gentil, quando tudo me era tão indiferente essa mulher me deixa curiosa, ansiosa, quase feliz porque tenho alguém comigo, agora que até Bernardo sumiu.

Uma rajada mais forte ergue suas roupas, que roçam em mim.

— Alfazema!

De repente, sei quem é. Não entendo como não a reconheci antes. Então era por mim que ela estava esperando, todo esse tempo. Esse longo tempo.

Descemos de mãos dadas.

Este livro foi composto na
tipologia Electra, em corpo 10,5/15,
e impresso em papel off-white 90g/m²,
no Sistema Cameron da Divisão Gráfica
da Distribuidora Record.